Marseille

Principaux centres d'intérêt

1	Exposition de la Grotte Cosquer	16	Maison Diamantée
2	Arc de Triomphe	17	Hôtel de Ville
3	Église N.-D.-du-Mont-Carmel	18	Église Saint-Cannat
4	Église Saint-Théodore	19	Musée d'Histoire
5	Maison des Cariatides	20	Musée de la Marine
6	Église Saint-Vincent-de-Paul	21	Palais de la Bourse
7	Chapelle du Sacré-Cœur	22	Fort Saint-Jean
8	La Vieille Charité	23	Église du Calvaire
9	Cathédrale de la Major	24	Église de la Sainte-Trinité
10	Hôtel-Dieu	25	Opéra
11	Église N.-D.-des-Accoules	26	Église Saint-Charles
12	Église Saint-Laurent	27	Jardins et château du Prado
13	Théâtre grec	28	Fort Saint-Nicolas
14	Musée César	29	Théâtre National « La Criée »
15	Musée des Docks Romains	30	Musée Cantini

31	Église N.-D.-du-Mont
32	Musée du Santon
33	Hôtel de la Préfecture
34	Fort d'Entrecasteaux
35	Abbaye de Saint-Victor
36	Église Saint-Nicolas
37	Église Saint-Joseph
38	Église N.-D.-de-Lourdes
39	Synagogue
40	Église des Dominicaines
41	Fontaine Cantini
42	Basilique N.-D.-de-la-Garde
43	Église St-François-d'Assise
44	Église du Sacré-Cœur
45	Église St-Antoine-de-Padoue

P	Parking	⎯⎯⎯	Voies ferrées
M	Station de métro	- - - - -	Limite d'arrondissement
♜	Fort	═══	Autoroute
⛴	Ferry	⎯⎯⎯	Route

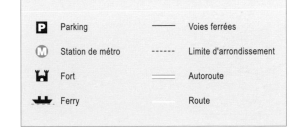

1 Palais Longchamp
2 Château d'If
3 Parc Chanot, Palais des Congrès
4 Cité Radieuse de Le Corbusier
5 Parc Borély

2 km

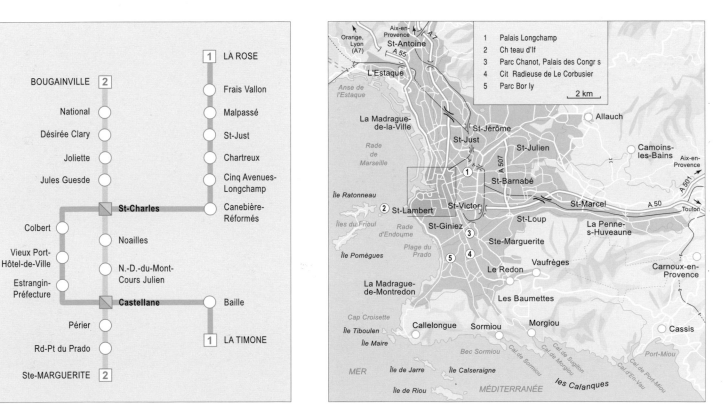

les couleurs de Marseille

textes
Robert Colonna d'Istria

photos
Ange Lorente

traduction
Toby Garrad

les créations du
Pélican

© 2000 Les Créations du Pélican / VILO
ISBN : 2 7191 0569 4
Dépôt légal : 4ᵉ trimestre 2000
Direction éditoriale : Jean-Michel Renault - Tél. : 04 67 02 66 02 /06 10 64 35 74
Mise en page PAO : Sylvie Lefranc - Mauguio
Compogravure : Photogravure du Pays d'Oc - Montpellier
Tous droits réservés pour tous pays
Imprimé en Union Européenne sur les presses de Beta

La rade de Marseille.

Entre collines et calanques : la Méditerranée en Provence

La plus ancienne ville de France - 2600 ans au compteur et un enthousiasme intact - doit sa fortune à sa position géographique : elle est au carrefour de la mer Méditerranée et de la France continentale où elle pénètre par la vallée du Rhône.

Depuis sa fondation, elle importe des marchandises d'un endroit du monde et les revend à l'autre. Une vallée, un port extraordinairement sûr, quelques collines, la mer la plus active du monde : le recette du succès ne varie pas.

Son charme, Marseille le doit à ce qu'elle est provençale, continentale et résolument tournée vers la mer. En cela, elle est, depuis toujours, ouverte aux influences de tous les peuples qu'elle côtoie et qui y ont déposé, chacun, un peu de leur âme. Marseille les a assimilés et amalgamés en un esprit original, singulier, qui n'appartient qu'à elle.

Les couleurs de la ville, forcément, comme ses bruits, les rires ou les jeux qu'on entend ou qu'on voit, comme le passé ou le présent de la grande cité, comme son avenir - que le projet Euroméditerranée, à lui seul, pourrait résumer -, les couleurs de la ville sont celles de la province voisine et celles de la mer qui limite le territoire municipal sur près de quarante kilomètres. Elles reflètent à la fois le grouillement d'une métropole bigarrée, son inépuisable chatoiement multicolore, et elles traduisent, dans leur harmonie, dans leur douceur toute classique l'équilibre de la Provence à

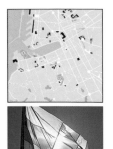

laquelle, au fil du temps, Marseille a fini par s'intégrer.

Les couleurs de Marseille - et ce n'est pas, ici, seulement un commentaire de son drapeau, même si les armes de la ville distribuées un peu partout invitent chacun à la conscience d'être en un lieu singulier ou, pour les habitants, à la fierté d'être membre de cette communauté originale -, les couleurs de Marseille sont aussi celles de sa géographie : la ville est blanche, comme l'ourlet de collines qui l'enserre, de calcaire aride, comme épilées, et bleue, comme le ciel lavé par le mistral et comme la mer Méditerranée.

Marseille est une grande ville pudique. A l'extérieur, donc, elle est toute blanche : elle l'est tellement que, de loin, les jours d'été, on ne sait pas toujours dire où s'arrête la ville et où commencent les collines ; les deux, imbriquées, se confondent. Posée entre ciel et mer, elle est écrasée de lumière et de soleil, brûlée par eux, purifiée : Marseille la blanche.

A l'intérieur des maisons, comme partout en Provence, comme tout autour de la Méditerranée, c'est, au contraire, la pénombre qui domine : couloirs étroits, escaliers raides - prolongements de rampes ou de ruelles escarpées - et persiennes sou-vent tirées sur la forte chaleur. L'impression générale est ensoleillée et tous les aspects intimes de la ville sont remplis d'ombre : placettes, jardins, squares, terrasses des cafés ou des appartements, maisons - petites demeures, splendides bastides, villas ou hôtels particuliers immenses : en la matière, tout se ressemble -, intérieurs des échoppes dont les devantures sur des rues inondées de chaleur attirent pourtant le chaland avec les plus vives couleurs de la terre, celles des épices ou celles des étoffes, des fruits savoureux ou des produits bariolés... Aux efforts pour vivre à l'ombre s'ajoutent ceux - rendus dérisoires par les progrès de la climatisation - des ventilateurs qui tentent, en brassant en silence un air tiède, d'établir des courants d'air frais... Heureux pays que ceux où il faut se protéger de la chaleur : ils obligent à vivre dans l'ombre et le secret des intérieurs. Heureuse Marseille, obligée de cacher ce qu'elle a de plus précieux !

Marseille est tout en contrastes : elle est une grande ville, grouillante comme toutes celles du monde méditerranéen, et, en même temps, elle est une juxtaposition de villages, agrégés, les uns après les autres, à la grande cité et qui sont devenus autant de quartiers riches de souvenirs, de traditions et de la saveur de leur passé minuscule. Elle tient à la terre, par ses collines (la Nerthe, l'Etoile, le Garlaban, Marseille-veyre...), qui la protègent de l'univers continental, et à la mer, mobile trait d'union entre trois continents, très ancienne avenue porteuse de richesses, de navires et de rêves. La ville est composée d'opulents quartiers bourgeois et de pittoresques

Marseille comme les marins de Phocée
n'auraient jamais pu l'imaginer...

La Canebière.

cantons populaires, souvent étroitement imbriqués, tant la bourgeoisie de la cité s'est toujours édifiée sur la réussite des premières générations d'émigrants - c'est le savetier, ici, qui est devenu financier. Des pôles technologiques ou des centres commerciaux ultra-modernes sont aujourd'hui posés sur des terroirs où peuvent encore se deviner les vestiges d'un passé agricole.

Marseille est à la fois secrète et accueillante, réservée et sensuelle, bavarde, en apparence, et incroyablement pudibonde, ouverte sur le monde, par son histoire et sa géographie - sa vocation, son lot -, et toujours soucieuse d'elle-même, jusqu'à la jalousie, prudente avec l'étranger, parfois jusqu'à la méfiance, et infiniment généreuse, comme en témoigne, chaque année, l'arrivée de plusieurs milliers d'habitants nouveaux, séduits par le mouvement perpétuel, le soleil et le charme de l'immense cité.

Faite pour la promenade, la flânerie et le farniente, ville dédiée au plaisir, Marseille est active comme une fourmilière, qui se plaît à prouver régulièrement au monde la qualité de ses laboratoires de recherche, le sérieux de ses ingénieurs ou la performance de ses équipes médicales.

Ville de la galéjade, de la blague et de la comédie perpétuelle - s'il faut en croire les histoires de Marius et Olive -, Marseille pourrait bien être, à suivre les péripéties du club de football de la ville, un lieu où la tragédie grecque a conservé droit de cité...

Si les couleurs de Marseille sont parfois difficiles à saisir, ce n'est pas seulement parce qu'elles sont nombreuses, venues des cinq continents et des régions voisines, pas seulement parce qu'elles seraient dissimulées dans le secret des intérieurs ou tout en contrastes : c'est qu'elles sont cachées sous des épaisseurs de cartes postales et de caricatures. Entre les voyous de l'Entre-deux-guerres, le trio borsalino-pétanque-pastaga, entre l'image de *"ville malade"* et ses *"problèmes"* et celle, à l'inverse, de ville qui serait un *"modèle d'intégration"*, un *"carrefour d'identités méditerranéennes"*, entre Fernandel et Guerini, entre le retraité rondouillard et le nervi, entre Raimu et les supporters fanatiques de l'OM, entre les anciens soutiens de Le Pen et les vieux amis de Tapie, entre les images d'hier, dominées par le pont transbordeur et des paquebots en partance pour l'Indochine, et celles d'avant-hier, qui pourraient laisser croire à une ville disparue, tout entière figée dans son passé antique, entre tous ces clichés d'Epinal, la place laissée aux couleurs de la réalité est étroite. Entre la Bonne Mère et les calanques, les poissonnières du port et la Canebière - dont plus personne ne sait le passé brillant -, entre l'ail, les santons, l'Estaque et le château d'If, Zidane, Pagnol, Marius - et Jeannette - sont devenus les grands hommes de la ville. Ils ont détrôné Emmanuel Vitria, qui fut doyen mondial des greffés du cœur, ou ces pionniers de l'exploration du monde qu'ont été Euthymène et Pythéas - dont la rue serait devenue anonyme si quelques *"filles"* n'y conservaient sur le trottoir le souvenir de souteneurs à pompes bicolores et de tous les trafics qu'à ses heures flamboyantes la ville a connus... ; les héros du jour ont également éclipsé Casaulx qui, il y a peu de temps, à la fin du XVIᵉ siècle, avait érigé la ville en République indépendante.

Blaise Cendrars - qui avait passablement bourlingué autour des océans - assurait que Marseille était *"une des villes les plus mystérieuses du monde et des plus difficiles à déchiffrer"*. Sans cesse, on croit la tenir et, par quelque endroit qu'on l'attrape, elle vous échappe ; on croit la comprendre - c'est-à-dire qu'on l'aime assez pour avoir l'intuition d'en pénétrer les secrets - et elle se dérobe : elle montre d'elle, agréable ou incompréhensible, une facette qu'on ignorait. Est-elle en cela, dans cette dissimulation et cette volonté d'étonner, provençale ou méditerranéenne ? C'est un mystère.

Son énigme, depuis vingt-six siècles, pourrait bien tenir en une interrogation qui aurait pu s'appliquer, déjà, aux fondateurs de la ville. Tout le monde connaît la charmante légende, celle de ce navigateur phocéen, Protis, marié à une princesse du lieu, Gyptis, véritables Adam et Eve dont l'union aurait engendré Massalia. La question posée n'est pas celle de savoir ce qu'il y a d'exact dans cette légende - depuis qu'on la répète, elle est devenue la vérité à l'état pur -, mais elle réside dans l'interrogation suivante : Protis, le Grec, est-il devenu provençal ou bien est-ce Gyptis, l'autochtone, qui est devenue grecque ? Depuis vingt-six siècles - près d'un million de jours - que des émigrants, de tous les endroits du monde, accourent dans cette ville, la même question se pose : restent-ils, ces Bas-Alpins, ces Cévenols, ces Corses, ces Italiens, ces Espagnols, ces Arméniens, ces Syriens, ces Nord-Africains, ces Africains, ces Comoriens, ces Asiatiques, restent-ils de leur pays, par hasard installés en Provence, ou bien deviennent-ils des Provençaux qui auraient, accessoirement, une origine plus lointaine ? On ne peut pas trancher : c'est la clef du mystère de Marseille, ce port qui, comme tous les ports, est à la fois une machine à intégrer et qui jouit,

de fait, d'un statut d'extra-territorialité. Avec ses quartiers rouges et le souvenir de ses heures noires - celles de l'Occupation, quand les Allemands ont décidé de raser le quartier du Panier, celles pendant lesquelles elle a permis à des gangsters de laisser croire qu'ils régnaient en maître sur la cité -, Marseille la dorée, placée sous la protection de la Bonne-Mère - comprenez Notre-Dame-de-la-Garde -, Marseille qui se teinte, selon les heures du jour, de rosé, d'or ou d'orangé, Marseille noyée de ciel bleu, saturée de Méditerranée, Marseille reste blanche dans son écrin de calcaire blanc. Ville vivante, attachante et laborieuse, elle est faite pour vivre, aimer et travailler : au bord de l'eau, entre collines et calanques, elle a les couleurs d'un des lieux les plus heureux du monde.

Et que ceux qui y passent, puissent en retirer le même bénéfice que celui qu'avait remarqué Stendhal dans Mémoires d'un touriste : *"Le séjour à Marseille (...) m'a formé le caractère. Je suis disposé à prendre tout en gai et je me guéris de ma mélancolie"*.

Between the hills and the calanques : the Mediterranean in Provence

Aged a highly respective 2,600 years and still going strong, Marseille is undoubtedly the oldest city in France. This spectacular success story stems to a large extent from the unique site on which the city was built. Indeed, the city of Marseille was

Marché sur les allées du Prado.

constructed at a cross-roads between the Mediterranean sea and continental France, within a short distance of the mouth of the Rhone river.

Ever since it was first founded, Marseille has been importing and re-selling goods and wares from various parts of the world. All together, a valley, an extraordinarily secure harbour, a few hills to protect the city from the enemy and the busiest sea in the world add up to make the ideal combination for the success of a city and its people.

The beauty of Marseille lies in the fact that it is resolutely Provencal, while at the same time both continental and turned towards the sea. The people from other lands with whom Marseille has had close ties have always been welcome here, and for many, it is in Marseille that their souls now belong. Assimilated and fully blended into the local population, all these people contribute in their own way to making Marseille what it is today. The colours, sounds, laughs and games one sees and hears, the past and future projects – like that of Euroméditerranée – are all distinct-ive of the commune of Marseille which stretches today over 40 km of ragged Mediterranean coastline and the bordering province of Provence inland. Characteristic of Marseille, all these colourful traits also reflect the well being and equilibrium of neighbouring Provence to which the city is now at heart very much attached.

The colours of Marseille – and it is not just a matter of commenting on the colours of the local flag and the city's coat of arms one sees here and there, reminding people if need be of their pride and joy of living and belonging in the city – the colours of Mar-seille include the local geography of the area. The city is predominantly white like the surrounding barren, parched limestone hills and blue, like the mistral-wind beaten sky and the Mediterranean sea.

Marseille is big and self-conscious. From the outside, as it has just been said, the city looks unmistakably white, so much so indeed that from a distance on a hot midsummer day it is not easy to establish the borderline between the city and the surrounding limestone hills. Nestling between deep blue skies and the sea, the houses are drenched and seemingly bleached in the sun light.

Inside the houses, like elsewhere in Provence and all around the Mediterranean region, there is very little light. Narrow corridors, steep staircases and half-lit rooms are hidden from onlookers behind shutters that are closed to keep the heat out. The general impression is that the sun prevails and shade fills even the most private and secretive spots of the town – squares, marketplaces, gardens, cafe terraces, balconies and the even the houses themselves, small and big. There's shade in the villas, private mansions and town houses. The shop interiors are in the shade too, and outside, at the shop door, the passers-by and shoppers are attracted by the shopkeepers' colourful wares – spices, textiles, delicious fruits and other multicoloured products.

In many of these well shaded places, and despite the development of modern air conditioning systems, a fan still thrashes the silence of the hot afternoons, trying desperately to cool the air and produce a draught. The Marseillais know all too well how lucky they are having to protect themselves from the heat. Indeed, by living like this in the shade, the people have no option but to conceal from the onlookers and passers-by the precious interiors of their homes.

Marseille is a city of contrasts. It is in all respects a big city, swarming with people like all the major cities around the Medi-

Le marché aux poissons au Vieux Port.

terranean but at the same time it is also a juxtaposition of villages, all stuck together. Each one of these villages has become an area of the city but many of the local village traditions and customs have remained. Marseille is strongly attached to the land and the hills (la Nerthe, l'Etoile, le Garlaban, Marseilleveyre…) which provide protection from the continental universe, and the sea which links the city to two other continents, bringing wealth and ships into the port. In Marseille, wealthy bourgeois areas often mingle with picturesque working-class areas. This is because many of the first generations of immigrants succeeded in climbing the steps of the social ladder – in Marseille, the cobbler may very well have become a financier. Hi-tech industrial estates and ultra-modern shopping malls and plazas have grown on lands used in former times by humble farmers. Marseille is both secretive and hospitable, reserved and sensitive, seemingly talkative and extremely prudish, open to the world and anxious, very anxious. So anxious indeed, that it is at times jealous and cautious of strangers. At the same time Marseille is infinitely generous and each year the city welcomes several thousand newcomers, attracted to the area by the sun and the irresistible charm of the city. Designed for the leisurely stroll and lazing around, Marseille, surprisingly, is extremely active and swarms like an ants' nest, showing the world time and time again that it is home to top rate research laboratories, medical teams and engineers. A city of tall stories, jokes and perpetual comedy – if one is to go by the stories of Marius and Olive – Marseille could well be, if one was to follow the many adventures and ups and downs of the local

football club, the site of a Greek tragedy… It may be difficult for some to appreciate the colours of Marseille. This is not only because there are many of them and that they come from the five continents and neighbouring regions, not only because they may be hidden behind the houses' shutters and curtains, it is because the colours of Marseille are hidden under many layers of post cards and caricatures. Be it the louts between the First and Second World Wars, the 'borsalino-pétanque (boules)-pastis' trio, the image of the "sick town" together with its "problems" or on the other hand the city depicted as a model for social integration, a *"characteristic Mediterranean cross-roads"*; be it the image of Fernandel and Guerini, the podgy retired man and the henchman, Raimu and the fanatical supporters of the OM football club, the former sympathisers of J.M. Le Pen and the old friends of Bernard Tapie, the images of former times when liners were setting sail for Indochina, the images of yesteryear giving the impression of a lost city, set in its ancient history, between all these clichés there is very little space left for one to be able to see and appreciate the true colours of the city. Between the Bonne Mère and the calanques, the fishmongers along the harbour front and the Canebière, between the garlic and the santons, L'Estaque and the Château d'If, Zidane, Pagnol, Marius and Jeannette have come to be the figureheads of the city. The heart transplant surgeon Emmanuel Vitria has been dethroned and likewise Pytheas, pioneer and explorer of the world in his day. The heroes of our times have also totally eclipsed Casaulx, who, only a short time ago, during the 16th century, succeeded in establishing

Marseille as an independent Republic. Blaise Cendrars – who sailed the seven seas – claimed that Marseille was "one of the most secretive and difficult cities in the world to decode". Over and over again, it feels as though one has caught the city, only to discover seconds later that it has escaped once again; it feels as though one understands – i.e., that one loves the place enough to be able to penetrate its deepest secrets – but then it furtively runs away again, showing yet another unknown facet. As a result of this secretiveness and everlasting desire to surprise, one wonders: is Marseille really Provencal or Mediterranean? The answer to this question remains a mystery. The mystery of Marseille lies in a question that could well have applied to the founders of the city over 2,500 years ago. Everyone knows the delightful story of the Greek sailor Protis who married a local princess named Gyptis and went on to give birth to Massalia. The question is not so much in establishing how much of this story is true – the story has been told for so long that it has become a universal truth – but more in discovering if the Greek sailor Protis became a Provencal or, if Gyptis became a Greek? For over twenty six centuries – about a million days in all – immigrants have been rushing to Marseille and still the question remains: are all those men and women from the Cevennes, the lower Alps, Corsica, Italy, Spain, Armenia, Syria, North Africa, the Comoros, Asia, strangers in Marseille and simply by chance settlers in the city and Provence, or, on the contrary, have all these immigrants become at heart true men and women of Provence? There is no answer to this question and indeed, it is the key to the mystery of Marseille, which, like many other ports, is a wonderful source for integration, enjoying as such a sort of extra-territoriality.

Looking back to the darker periods in the history of Marseille – under the Occupation when the Germans decided to ransack and destroy the old Panier area, or the days when gangsters were led to believe they could rule the town – the gilt edged Marseille has clearly been well protected by the Bonne Mère (Notre-Dame-de-la-Garde). Depending on the time of day, the colours of Marseille change from pink, to golden and to orange. Despite the fact that it is set below deep blue skies and looks out to the ever blue Mediterranean sea, Marseille always looks white, surrounded as it is by a setting of white limestone hills. Marseille is both lively and laborious. Marseille is made for living, loving and working… on the water's edge, between the hills and the calanques. Marseille enjoys the colours of one of the happiest places in the world and visitors to the city should hopefully enjoy their stay as much as Stendhal did if one is to believe what he wrote about Marseille in his *Mémoires d'un Touriste*: "Since my stay in Marseille (…) my nature has changed. I am now prepared to accept things with joy and I have ridded myself of melancholy".

La montée des Accoules
dans le quartier du Panier.

Provençale ou
méditerranéenne ?

Plaque commémorative de la fondation de Marseille,
quai des Belges / Vieux Port.

repères chronologiques de la plus vieille ville de France

● Vers **600 av. J.-C.** Fondation de Massalia par des Grecs de Phocée, en Asie mineure. Les relations de ces marchands avec les populations autochtones (qui vivaient dans la région d'Allauch) sont si bonnes, à leur commencement, qu'elles se convertissent en une légende pieusement répétée depuis ce temps, celle selon laquelle la ville serait née des amours d'une princesse indigène, Gyptis, et d'un noble marin, Protis.

Circa 600 BC Founding of Massalia by the Greeks from Phoceae. The relations of these Greek traders with the local populations who lived in the area of Allauch are so good that people soon begin telling the now legendary story as to how the noble sailor Protis fell in love with a local princess named Gyptis, thus giving birth to Massalia.

● **IVᵉ siècle av. J.-C.** Des marins marseillais partent à la découverte du monde : Euthymène explore les côtes d'Afrique, jusqu'au Sénégal, et Pythéas va reconnaître, près du cercle polaire, l'énigmatique royaume de Thulé. A-t-il visité l'Islande, les côtes de Norvège, les rivages de la mer Baltique ? Nul ne la sait avec exactitude : le mystère qui entoure ses exploits contribue, avec quelques lumineux calculs astronomiques, à la gloire de sa ville.

4th century BC Sailors from Marseille set sail to discover the world. Euthymenas explored the coasts of Africa as far as Senegal, while Pytheas headed for the arctic where he reported finding the mysterious kingdom of Thulae. Did he discover Iceland, the coast of Norway or the coastline along the Baltic sea ? The answer to this question is not known and the mystery of his feats only adds to the glory of his city.

Épave d'un navire grec datant de la fin du VIᵉ siècle av. J.-C. Ce navire, de quinze mètres de long sur quatre de large, a été découvert en 1993 au cours des fouilles menées place Jules-Verne. Lors du chantier de la bibliothèque - cours Belsunce - en 1999, les vestiges d'un mur datant également de la période grecque ont été découverts.

● **vers 385 av. J.-C.** Les Marseillais sont en guerre avec leurs voisins : les Ligures, qui occupent le reste de la Provence, les Gaulois, qui peuplent le nord de ce qui deviendra la France, et les Carthaginois, qui étendent leur empire au sud de la Méditerranée. La ville emporte d'éclatants succès et s'allie à une autre ville qui aura l'occasion de faire parler d'elle : Rome.

Circa 385 BC The Massiliots are at war with their neighbours the Ligurians who are occupying the whole of Provence, the Gauls in the north and the Carthaginians whose empire stretches to the others side of the Mediterranean. Marseille defeats the enemy on several occasions and forms an alliance with a town that soon became famous : Rome.

● **181 av. J.-C.** Marseille demande l'aide de Rome contre la piraterie ligure qui met en péril aussi bien les échanges maritimes que les routes terrestres. Les Romains interviennent une première fois, puis, à de nombreuses reprises, en 154 et, surtout, à partir de 124, année qui marque véritablement le début de leur implantation en Provence.

181 BC Having formed a coalition with the Romans, the Massiliots combat the Ligurian banditry and piracy which threaten the development of sea and land tradings. The Romans win several victories between 152 and 124 BC, after which the Romans begin settling in Provence.

● **49 av. J.-C.** César, qui a été commandant de la Narbonnaise, assiège Marseille, qui avait malencontreusement pris le parti de Pompée. La ville capitule, perd son indépendance et devient une *"ville fédérée"* à l'empire. De cet épisode, la cité a conservé un nom, celui de la Joliette, là où était disposée la flotte du futur empereur.

49 BC The city of Marseille, which unfortunately had sided with Pompey, is besieged by Julius Caesar. Defeated and having lost its independence, the city is annexed like Provence to the Roman empire. The future emperor's ships are moored at La Joliette.

Statue de David sur le Prado.

● Après J.-C. Iᵉʳ siècle

Importants aménagements du port, comportant, notamment, l'installation de docks, récemment mis à jour. Malgré son abaissement politique - et la promotion d'Arles, enrichie de nombreuses dépouilles de la cité phocéenne -, Marseille conserve sa vitalité commerciale et demeure un important foyer intellectuel.

1st century AD The harbour undergoes major alterations including the construction of docks. In spite of Arles being promoted capital of the empire, Marseille remains a busy trading post and home to many academics and intellectuals.

● IIIᵉ siècle

Abandon de la *"corne"* du port : ses quais constituent l'élément central de l'actuel *"jardin des Vestiges"* aménagé derrière le palais de la Bourse.

3rd century AD The "horn" of the harbour is abandoned. The quay of this section of the harbour is now occupied by the "Jardin des Vestiges" behind the Palais de la Bourse.

● 309

Siège de Marseille par Constantin. Il nous est resté de cet épisode la scène picrocholesque du futur empereur, à la porte de la ville,

Quais antiques des Iᵉʳ et IVᵉ siècles après J.-C. - jardin des vestiges, quartier Belsunce.

---

parlementant avec son beau-père et rival, Maximien, perché en haut des remparts de Marseille où il s'était laissé enfermer.

309 AD Siege of Marseille by Constantin. His father-in-law and rival Maximien takes refuge in the ramparts and desperately attempts to negotiate an end to the siege.

L'abbaye Saint-Victor.

● Vᵉ siècle

Construction d'une première cathédrale et d'un baptistère. Jean Cassien, moine venu d'Orient, fonde, en 416, l'abbaye de Saint-Victor. Elle adoptera, au XIᵉ siècle, la règle de saint Benoît.

5th century Construction of a first cathedral and a baptistry. Saint Victor abbey is founded in the year 416 by Jean Cassien, a monk from the East. The abbey adopts Saint Benedict's rule in the 11th century.

● 476

Marseille est prise par les Visigoths d'Alaric

476 Marseille is besieged by the Visigoths of Alaric.

● 508

La Provence - et Marseille - est *"libérée"* par les Ostrogoths de Théodoric.

508 Provence – and Marseille – are "liberated" by the Ostrogoths.

● 536

Les Ostrogoths cèdent la souveraineté de la Provence aux Francs.

536 The Ostrogoths hand over the sovereignty of Provence to the Francs.

● VIᵉ et VIIᵉ siècles.

Pendant près de deux cents ans, le sort de la ville est soumis aux querelles d'héritages et aux dissensions entre le royaume des Burgondes et celui d'Austrasie.

6th and 7th centuries A succession of monarchs fight for the right to the throne.

● 736

Charles Martel, qui procède à la reconquête de la Provence, prend et pille Marseille.

736 Aided by the Lombards, Charles Martel marches into Provence. Marseille is besieged and ransacked by his men.

● 838

Pillage de la ville par les Sarrasins. D'autres suivront, notamment en 848 et tout au long du Xᵉ siècle.

838 Marseille is ransacked once again, this time by the Saracens. The city is ransacked again in 848 and several times during the 10th century.

● 890

Création, par Boson, d'un royaume de Provence, pratiquement distinct du royaume des Francs.

890 Founding of a kingdom of Provence by Boson, totally separate from the kingdom of the Francs.

● 972

Guillaume, comte d'Arles, libère la Provence des Sarrasins qui l'occupaient depuis deux siècles. Dans cette expédition, il gagne le titre de comte de Provence et le surnom de Guillaume le Libérateur, sous lequel il est passé à la postérité.

972 Provence is liberated by William, the earl of Arles, from the Saracens who had been occupying the land for over two hundred years. Following this punitive strike, William is nicknamed William the Liberator.

● 1069

La ville est partagée entre les vicomtes et l'évêque.

1069 The ruling of Marseille is shared between the local earls and the bishop.

L'essor démographique provoque une expansion urbaine : ici la ville à la fin du Moyen Âge.

● **1109** Première croisade. Cet événement militaro-politico-religieux - et ceux qui vont suivre - va avoir les meilleurs effets sur le commerce de la ville : de nombreux avantages commerciaux sont accordés aux marchands de la ville par les successifs rois de Jérusalem.

1109 First crusade. This military, politically and religiously related event – together with the subsequent crusades – has a wonderful effect on local trade. Special deals are granted by the kings of Jerusalem.

● **1112** Par le mariage de Douce, descendante de Guillaume le Libérateur, avec un comte catalan, la Provence est partagée entre les comtés de Toulouse et de Barcelone. Marseille, en raison à la fois des traités conclus et de la volonté de ses vicomtes, sa rallie aux comtes catalans.

1112 Following the marriage of Douce, descendant of William the Liberator, to a Catalan earl, Provence is divided between the earls of Toulouse and Barcelona. The earls of Marseille decide to join up with earls of Catalonia.

● **1178** Apparition d'un consulat, c'est-à-dire d'une administration municipale à peu près autonome par rapport au reste du comté.

1178 Founding of a consulate – i.e., a sort of city council – that is more or less independent from the rest of the earldom.

● Première moitié du **XIIIe siècle** Tandis que le reste de la Provence est en proie aux conflits qui opposent les maisons de Toulouse et de Barcelone, Marseille est livrée, pour sa part, aux rivalités entre partisans de l'évêque, du prévôt et du vicomte. C'est une succession de révoltes, d'interdictions papales, de condamnations, de remises au pas et de velléités d'indépendance.

First half of the 13th century *While much of Provence is in the grip of conflicts opposing the houses of Toulouse and Barcelona, Marseille is given over to the rivalry opposing the partisans of the bishop, the provost and the earl.*

● **1252** Charles d'Anjou, devenu comte de Provence, soumet Marseille qui fait, de la sorte, son entrée dans la Provence. Charles d'Anjou devenu roi de Naples et de Sicile, la ville constitue le plus solide point d'appui de ses nouvelles et éphémères conquêtes. La prospérité de la ville bénéficie des volontés expansionnistes de son souverain.

1252 Marseille is brought to heel by the Charles of Anjou, the new count of Provence. Thus, Marseille effectively joins the earldom of Provence. Charles of Anjou subsequently becomes king of Naples and Sicily. Thanks to these ephemeral conquests Marseille prospers and benefits from the sovereign's desire for expansionism.

● **1348** La reine Jeanne, que Marseille, à l'inverse de la plupart des autres villes provençales, a soutenue, réunifie les trois parties de la ville. Le grand port, comme beaucoup de régions d'Europe, est éprouvé par une grave épidémie de peste noire.

1348 Queen Joan, whom, unlike many other towns in Provence, Marseille defends, succeeds in reunifying the three areas of the city. Similarly to many other regions in France and Europe, an epidemic of the black plague take a terrible toll.

● **Novembre 1423** La flotte d'Alphonse V, roi d'Aragon, prend Marseille et met la ville à sac.

November 1423 Marseille is besieged and ransacked by Alphonse V, king of Aragon's fleet.

● **1447.** Sous le règne du roi René est édifiée la tour Saint-Jean, à l'entrée nord du port. La ville sert de base aux galées françaises de Jacques Cœur.

1447 St-Jean's look out tower is erected at the harbour entry by king René. Jacques Cœur's galleys are moored in the harbour.

● **1481** Marseille, avec le reste de la Provence, est unie à la France (testament de Charles du Maine, mort à Marseille, qui lègue ses possessions provençales à son neveu, Louis XI, roi de France). L'année suivante, le roi de France y transfère les galées royales : Marseille devient ainsi le grand port français en Méditerranée.

1481 Similarly to the rest of Provence, Marseille is united with the kingdom of France (following the testament of Charles of Maine who died in Marseille and left his possessions in Provence to his nephew, Louis XI, king of France). The following year, in 1482, the royal galleys are transferred to the city. Marseille consequently becomes the biggest Mediterranean port of France.

1487 Par rapport à la Provence, Marseille reste, avec un certain nombre d'autres localités de la province, une *"terre adjacente"*, c'est-à-dire qu'elle conserve ses privilèges juridiques et fiscaux.

1487 Unlike many other towns and villages of Provence, Marseille remains an 'adjoining territory' of the province. Thus the city is able to hold on to many of its legal and fiscal privileges.

1488 Création, sur la rive sud du port, du premier arsenal de galères : à ses activités commerciales, le port de Marseille ajoute une fonction militaire. En ces temps de guerres italiennes, cette activité est une précieuse source de prospérité.

1488 Founding on the south bank of the harbour of a first naval shipyard for the construction of galleys. Because of the wars against Italy, this new activity quickly becomes a considerable source of wealth to the city.

1516 En l'honneur de François Ier, héros de la victoire de Marignan, Marseille organise de grandes fêtes. C'est à l'occasion de sa venue dans la ville que le roi de France décide de fortifier l'île d'If et d'y construire un château. La politique de rapprochement avec l'Empire ottoman que mène François Ier va avoir les meilleurs effets sur l'essor du commerce marseillais.

1516 In honour of the king of France François I, the hero of the Marignan victory, a huge festival is organised by Marseille. During his visit to the city, the king orders the construction of a château on the island of If just outside the harbour in the bay. Marseille prospers again as a result of the king's political ties with the Ottoman empire.

1524 Siège - infructueux - de la ville par le connétable de Bourbon pour le compte de Charles Quint.

1524 Unsuccessful siege of Marseille by the supreme commander of the French armies de Bourbon on behalf of Charles the Fifth.

1533 Fêtes du mariage du second fils de François Ier avec Catherine de Médicis. C'est le pape, en présence du roi, qui célèbre l'union.

1533 François I's second son marries Catherine de Medicis in Marseille. The marriage is celebrated by the Pope himself, in the presence of the king.

1536 Charles Quint, qui a envahi la Provence, échoue devant Marseille. C'est à la suite de ce siège que François Ier décide de fortifier la colline de la Garde.

1536 Following his invasion of Provence, Charles the Fifth fails in his attempt to besiege Marseille. In order to improve the protection of the city, La Garde hill is fortified by François I.

1585 Marseille qui, tant bien que mal, s'est tenue à l'écart des guerres de religion, est le siège, en avril, d'une première émeute en faveur de la Ligue. Après plusieurs mois de conflits entre faction, Casaulx, en 1590, élu premier consul de la ville, s'empare du pouvoir dans la ville au nom de la Ligue.

1585 Until such time Marseille had managed not to get involved in the wars of religion but in April 1585 the city is the seat of a first riot in favour of the Ligue. In 1590, following several months of conflict, the recently elected first consul of the city Casaulx seizes the power of the city in the name of the Ligue.

1593 Fondation de l'Hôtel Dieu.

1593 Founding of the Hôtel Dieu.

1595 Publication du premier ouvrage imprimé à Marseille, *Obros e rimos provençalos* de Bellaud de la Bellaudière.

1595 Publishing of the first book printed in Marseille : 'Obros e rimos provençalos', written by Bellaud de la Bellaudière.

1596 Assassinat de Casaulx par un homme d'Henri IV, le Corse Pierre de Libertat.

1596 Casaulx is assassinated by one of Henry IV's men, the Corsican Pierre de Libertat.

1600 Lettres patentes du roi autorisant la création d'un bureau de commerce : cette disposition fait de la Chambre de commerce de Marseille (dont ce *"bureau"* est la préfiguration ; c'est en 1650 que la Chambre apparaît sous ce vocable) la plus ancienne de France.

1600 Official letters from the king allowing the founding of a chamber of commerce. This measure granted by the king makes the Chamber of Commerce of

En 1516, François Ier, lors d'une visite à Marseille, décide de fortifier l'île d'If *(à gauche)* et d'y dresser un château.

La Vieille Charité.

Marseille, or "bureau" as it was called in 1650, the oldest in France.

● **1611** Louis Gaufridy, prêtre de la paroisse des Accoules, est brûlé vif après un procès en sorcellerie.

1611 Louis Gaufridy, priest from the parish of Accoules, is burnt alive following a witchcraft trial.

● **1620** Naissance de Pierre Puget.

1620 Birth of Pierre Puget.

● **1622** Louis XIII, en visite à Marseille, jure de respecter les droits et privilèges de la ville tels qu'ils ont été concédés par Charles d'Anjou et périodiquement réaffirmés depuis le XIIIᵉ siècle.

1622 Upon a visit to Marseille, Louis XIII swears to respect the laws and privileges of the city as defined by Charles of Anjou in the 13th century.

● **1660** Louis XIV, pour mettre un terme à quelques années de rébellion de la ville, se rend personnellement à Marseille. Il y pénètre, comme en une cité conquise, par une brèche ouverte dans les remparts. La municipalité est désarmée. Les forts Saint-Jean et Saint-Nicolas y sont édifiés. Les consuls, élus, sont remplacés par des échevins, nommés.

1660 In an attempt to put an end to several years of rebellion, Louis XIV pays a visit to Marseille. He enters the city like a conqueror, through a hole in the ramparts. The municipality is disarmed, the Forts St-Jean and St-Nicholas are constructed and the elected consuls are replaced by municipal magistrates appointed by the king.

● **1665** Le roi nomme un "intendant des galères", Nicolas Arnoul. Les fonctions de cet important personnage dépassent largement la direction de l'établissement qu'il est, au demeurant, chargé de reconstruire (le nouvel arsenal, construit de 1665 à 1669, est étendu à partir de 1685). Louis XIV lui confie le projet d'agrandissement de la ville qui double la superficie de la ville ancienne et qui lui donne, par son plan rigoureux, son allure actuelle.

1665 Nicholas Arnoul is appointed "intendant of the galleys" by the king. The duties of the intendant go far beyond the managing of the establishment he has been assigned to rebuild (the new arsenal, constructed between 1665 and 1669, is extended again from 1685). Thus, the king entrusts him a vast development project in which the size of the old city is multiplied by two.

● **1669** Edit de Colbert faisant bénéficier Marseille de l'exclusivité d'une franchise pour les marchandises du Levant. Cette disposition, extrêmement favorable au développement du commerce, va également susciter la naissance d'une industrie, notamment sucrière puis savonnière.

1669 Colberts' edict stipulating that Marseille should enjoy the exclusive rights to a franchise for goods coming from the Levant. This measure leads to a rapid development of trade and gives rise to the birth of industries (sugar and soap) in the locality.

● **1673** Mise en service de l'actuel Hôtel de Ville

1673 Inauguration of the Hôtel de Ville.

● **1676** Début des travaux, sous la conduite de Pierre Puget, de l'hospice de la Charité (l'actuelle Vieille Charité).

1676 Led by Pierre Puget, beginning of the works on the Hospice de la Charité (now the Vieille Charité).

● **1720** Dernière grande peste de Marseille (et dernière d'Europe occidentale). L'épidémie cause quarante mille mort dans la ville.

1720 The plague breaks out again (for the last time) in Marseille, taking a toll of about 40,000 men and women in the city.

● **1748** Suppression des galères de France. Les terrains de l'arsenal, désaf-

Le fort Saint-Nicolas.

fecté, seront cédés à la ville et lotis (à partir de 1784).

La fin de l'activité militaire de Marseille (c'est Toulon, désormais, qui devient le port d'attache de la marine française en Méditerranée) ne nuit pas à la prospérité de la ville : les flottes de commerce de la ville vont dans l'océan Indien, en Amérique, dans le mer Noire... L'essor économique se double, au XVIIIᵉ siècle, d'un essor intellectuel et artistique remarquable dont quelques monuments (château Borély, lycée Montgrand qui fut l'hôtel particulier de Georges Roux, dit Roux de Corse, un des plus puissants armateurs de l'époque...) ont conservé le souvenir.

1748 Discontinuation of the French galleys. The newly disused naval shipyard is handed over to the city. Housing development projects begin in 1784.
The prosperity of the city is not affected by the closing of the naval shipyards (the French Mediterranean naval base is transferred to Toulon). Indeed, Marseille's merchant navy fleets sail to India, America and into the Black sea...
Besides this economic prosperity, several remarkable monuments and buildings are constructed during the course of the 18th century (Château Borély, Lycée Montgrand – formerly ship-owner George Roux's town house).

Le fort Saint-Jean.

● **1789** La Révolution commence à Marseille par des discours (dont le plus fameux reste celui de Mirabeau venu assister à des réunions préparatoires des Etats Généraux) et des émeutes. Dans l'euphorie populaire, elle se traduit, pour la ville, par l'abolition de ses privilèges et libertés, pourtant vieux de trois siècles et riches de luttes, aussi longues, pour les défendre...

1789 In Marseille the French Revolution begins with people making speeches (the most famous of these is that of Mirabeau who had come to the city to attend the preparatory meetings for the Estates General) and rioting in the streets. The result of all this popular euphoria is that Marseille loses the rights and privileges it had enjoyed and battled to keep for over three hundred years.

● **Avril 1790** Création, rue Thubaneau, de la Société patriotique des Amis de la Constitution, futur club des Jacobins, qui fait frapper et distribuer des médailles où est gravée cette devise suggestive : *"vivre libre ou mourir !"*. Prise, par les gardes nationaux, des forts Saint-Jean et Saint-Nicolas, tenus pour des *"Bastilles"* marseillaises.

Plaque commémorative en hommage à Rouget de Lisle - rue Thubaneau.

April 1790 Founding in Rue Thubaneau, of the Patriotic Society of Friends of the Constitution, a future club of Jacobins which struck and distributed medals engraved with the evocative motto "live free or die !" Siege of Forts St-Jean and St-Nicholas by the French national guards.

● **1792** Des Marseillais, qui ont appris un chant de guerre composé par Rouget de Lisle pour l'armée du Rhin, partent pour Paris défendre la Révolution. En chemin, ils popularisent La Marseillaise. En août, ils participent à la prise des Tuileries contre les gardes de Louis XVI.
Les membres du club des Jacobins conduisent une expédition à Aix, alors chef-lieu des Bouches-du-Rhône, pour en rapporter les instruments de l'administration du département.

1792 An army of Revolutionaries from Marseille who had learnt a war song written by Rouget for the Rhine army (Hymn of the Army of the Rhine) march their way to Paris. En route the song becomes so popular among the people in the villages they pass through that it is very soon christened La Marseillaise. In August of the same year the same men take part in the fight against Louis XVI's guardsmen during the siege of the Tuileries.
Members of the Jacobin club lead an expedition to Aix, chef-lieu of Bouches du Rhône département, to bring back the administrative documents to Marseille.

● **1793** Insurrection des *"fédéralistes"* marseillais, alliés à ceux du Gard, contre la Convention ; ils s'avancent, en armes, jusqu'à Orange. L'armée de la Convention, commandée par Carteaux, les oblige à la retraite et les bat sur les bords de la Durance, à Cadenet. Avec l'entrée des troupes de la Convention dans la ville, le 25 août, c'est le début de la Terreur. Destructions de bâtiments, pillages, exécutions capitales en série sont les préludes à la décision - révélatrice d'une extravagante volonté d'anéantissement - de débaptiser Marseille : elle devient la *"Ville-sans-Nom"*.

1793 Insurrection of the local "federalists" from Marseille and the neighbouring Gard département against the Convention. Arriving in Orange under the commandment of Carteaux' forces, the army of the Convention forces the "federalists" to retreat to Cadenet, on the banks of the Durance river. On August 25th the troops of the Convention's army march into the town and set about to ransack everything they can lay their hands on. Many of the houses are looted and destroyed. The desire of the Convention to annihilate Marseille is so great that it is subsequently renamed "The City with no Name".

● **1795** Violente réaction contre-révolutionnaire. Les *"Compagnons du Soleil"* exercent leur vengeance contre les Jacobins : cent vingt-sept, en juin 1795, sont égorgés au fort Saint-Jean. 1795 Par crainte d'une opposition trop vive au régime, la ville est divisée en trois municipalités. Elle le restera jusqu'à 1805.

1795 Violent counter-revolutionary reaction of the Compagnons du Soleil who, seeking revenge, execute 127 Jacobins in June 1795 at Fort St-Jean against the Jacobins.
Fearing excessive opposition to the regime, the city is divided into three separate municipalities.

● **Premier Empire.** Marseille, qui accueille favorablement le coup d'Etat du 18 Brumaire, subit les inconvénients de la guerre avec l'Angleterre et du blocus continental : l'activité du port est à peu près paralysée et la population tombe, en 1811, à 80 000 habitants dont la moitié d'indigents. La ville héberge quelques mois Charles IV, roi d'Espagne détrôné par les événements qui agitent son pays. Les séjours qu'il fait au château Bastide, à Mazargues, ont fait appeler cette

bâtisse et, par extension, le quartier édifié sur le parc loti par la suite, le *"Roy d'Espagne"*.

First Empire *After welcoming the coup d'Etat of 18 Brumaire, Marseille is seriously affected by the war against England and the imposed continental blockade. The port's activity nearly comes to a standstill. In 1811, the population, half of which is destitute, falls to 80,000.*

Fleeing the riotous events of his country, the dethroned king of Spain Charles IV travels to Marseille and sets up residence at Château Bastide at Mazargues. The subsequent housing development in the park is appropriately named "Roy d'Espagne".

● **1818** Première entrée à Marseille d'un navire à vapeur. Cet événement, qui révèle la révolution industrielle en train de s'accomplir, inaugure une ère de prospérité qui ne va pas cesser pendant tout le XIXᵉ siècle et que l'expansion coloniale, en particulier la conquête de l'Algérie, à partir de 1830, autant que le percement de l'isthme de Suez, en 1869, vont amplifier.

1818 A steamer ship moors in the port of Marseille for the first time. Occurring at the beginning of the industrial revolution, this event is the start to another long period of prosperity right through the 19th century. Trading is further improved by the development of the French colonies, the conquest of Algeria and the opening of the Suez canal in 1869, all of which give the city a crucial advantage over other French ports.

● **1823** Rétablissement de l'évêché de Marseille, supprimé à la Révolution. Les Bouches-du-Rhône deviennent ainsi, l'évêque d'Aix ayant été maintenu, le seul département français à compter deux diocèses.

Le palais Longchamp.

MARSEILLE - Palais Longchamp

L'aqueduc de Roquefavour.

1823 Restoration of the diocese of Marseille, abandoned during the Revolution. The diocese of Aix being maintained, this measure makes Bouches du Rhône the only French département with two dioceses.

● **1832** La duchesse de Berry, forte du soutien légitimiste qu'elle espère pouvoir trouver à Marseille, tente un débarquement à Carry en vue de rétablir les Bourbons sur le trône de France. Son aventure échoue en Provence, comme elle échouera en Vendée où elle se rendra à la recherche de soutiens plus solides.

1832 Escorted by partisans, and seeking Legitimist support from Marseille, the duchess of Berry lands at Carry in an attempt to restore the Bourbons to the throne of France. Moving into Provence the coup fails, as it does again in Vendée where she goes in seek of more firm support.

● **1834** Pour faire face aux besoins du rapide développement de la ville, la municipalité décide la construction

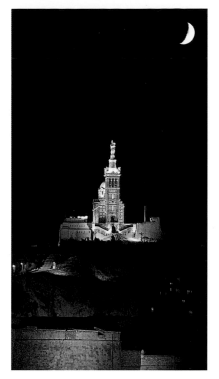

Notre-Dame-de-la-Garde.

1848 Inauguration of the Paris-Marseille railway line.

● **Second Empire** Période de grande prospérité pour Marseille qui se couvre de nombreux monuments (constructions *"prudhommesques"* selon André Bouyala d'Arnaud) : le palais de la Bourse, la préfecture, le palais Longchamp, Notre-Dame-de-la-Garde, la nouvelle cathédrale... La ville subit des réaménagements haussmanniens ; c'est en particulier à cette époque qu'est percée, au prix de travaux pharaoniques, la rue Impériale (aujourd'hui de la République).

Second Empire A great period of prosperity for Marseille during which numerous monuments and buildings are constructed: the Palais de la Bourse, the prefecture, Palais Longchamp, Notre-Dame-de-la-Garde, the new cathedral... During this period Marseille also undergoes Hausmann-like redevelopment. Indeed, the Rue Impériale (now Rue République) is cut through he city at huge expense.

● **1871** A l'image de Paris, Marseille a sa *"Commune"*. La principale figure - et la seule victime - en est l'avocat Gaston Crémieux.

1871 Following in the footsteps of Paris, Marseille forms its own "Commune" (revolutionary government). Lawyer and president of the departmental Commission Gaston Crémieux is sentenced to death and executed.

● **1905** Inauguration du pont transbordeur qui enjambe le Vieux Port. Il sera démoli pendant la Deuxième Guerre mondiale et démonté à cette occasion.

1905 Inauguration of a transporter bridge across the

d'un canal pour amener l'eau de la Durance à Marseille. Sa réalisation, achevée en 1849, exigera des ouvrages d'art considérable (aqueduc de Roquefavour) et sera couronnée par une espèce de temple à la gloire de l'eau, le palais Longchamp.

1834 In order to meet demands resulting from the spectacular development of the city, the municipality commissions the construction of a canal to carry water from the Durance river to Marseille. The Palais Longchamp is built 'to the glory of water' in 1849.

● **1844** Décision d'étendre le port vers le nord ; les premiers bassins de la Joliette seront inaugurés en 1853

1844 The decision is taken to extend the port towards the north; the first quays of La Joliette are inaugurated in 1853.

● **1848** Inauguration de la ligne de chemin de fer P.L.M. La ligne Paris-Marseille sera achevée en 1857.

Vieux Port. The bridge is bombed during the second World War and subsequently destroyed.

● **1906** Première exposition coloniale (une autre aura lieu en 1922) : Marseille apparaît véritablement comme la *"Porte de l'Orient"*.

1906 First colonial exhibition (a second exhibition is

L'opéra vers 1860.

Ancien fronton du théâtre de l'Alcazar sur le cours Belsunce.

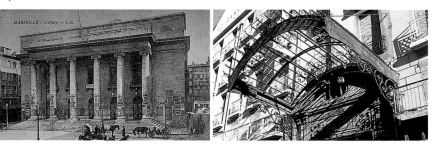

held in 1922): Marseille appears as the true "Gateway to the Orient".

● **1910** Pour la première fois, un hydravion, inventé par l'ingénieur marseillais Henri Fabre, décolle de l'étang de Berre.

1910 Invented by engineer Henri Fabre from Marseille, a hydroplane takes off for the first time from Berre étang.

● **1916** Le tunnel reliant l'étang de Berre au port de Marseille est achevé.

1916 Completion of the tunnel linking Berre étang to the port of Marseille.

● **1920** Création des *Cahiers du Sud*. La revue sera dirigée jusqu'à sa mort, en 1965, par Jean Ballard.

1920 Founding of the 'Cahiers du Sud'. The magazine is managed by Jean Ballard until his death in 1965.

● **1934** Le roi Alexandre de Yougoslavie, en visite officielle, et le ministre français Louis Barthou sont assassinés sur la Canebière.

1934 During an official visit to the city, King Alexander of Yugoslavia and the French minister

Monument dédié aux morts de l'armée d'Orient.

Louis Barthou are assassinated on the Canebière.

● **1938** Dramatique incendie du grand magasin des Nouvelles Galeries. Le mauvais fonctionnement des services municipaux dans cette catas-

trophe conduit le gouvernement à mettre la ville sous tutelle et à transformer le corps des pompiers de la ville en un corps militaire de marins pompiers.

1938 A fire breaks out in the Nouvelles Galeries department store. The disaster is so badly managed

La Canebière en 1910.

Défilé du 14-Juillet sur la Canebière.

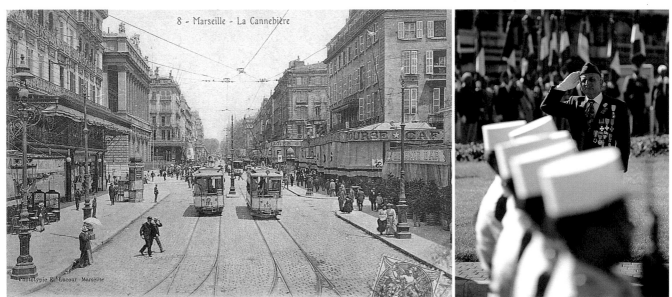

8 - Marseille - La Cannebière

Phototypie E. Lacour Marseille

Le char "Jeanne-d'Arc".

that the government places Marseille under administrative supervision and transfers the local fire brigade to the military.

● **Novembre 1942** Les Allemands occupent la ville. Pendant leur séjour, ils détruisent quatorze hectares de la vieille ville, en particulier dans le quartier du Panier.

November 1942 Marseille is occupied by the Germans. During their stay, 14 hectares of the old town are destroyed, particularly in the area of Le Panier.

● **1944** La ville, qui a subi de rudes bombardements alliés, est libérée, le 21 août, par les troupes du général de Montsabert.

1944 Following heavy bombings by the allies, Marseille is freed from the enemy on 21 August by the troops of General de Montsabert.

● **1967** Inauguration du tunnel sous le Vieux-Port. Il fait partie d'un ensemble d'aménagements (élargissement de la Corniche, couverture du Jarret...) auxquels la ville doit procéder pour faire face aux nécessités de son très fort développement (arrivée,

Le Théâtre national de la Criée, sur le Vieux Port.

par exemple, de 500 000 rapatriés d'Afrique du Nord en 1962).

1967 Following the arrival of 500,000 repatriates from Algeria in 1962, the municipality launches a major urban development program. Inauguration of the tunnel under the Vieux Port and widening of the road along the Corniche.

● **1967-1974** Mise au jour, derrière la Bourse, de vestiges antiques considérables : un rempart et une nécropole grecs, des quais, des docks, un navire...

1967-1974 Unearthing behind the Bourse of ancient remains including a rampart, a Greek necropolis, piers, docks and a ship.

● **1977** Inauguration de la première ligne de métro (la deuxième le sera huit ans plus tard). Avec les déblais du chantiers sont aménagés les jardins et les plages du *"troisième Prado"*, dans le prolongement de la Corniche.

1977 Inauguration of the city's first underground railway line (the second line is opened in 1985). The earth excavated from the tunnelling works is used to landscape the gardens and beaches of the "Troisième (3rd) Prado" beyond the Corniche.

● **1981** Inauguration, dans l'ancienne criée, d'un théâtre national qui porte ce nom.

1981 Inauguration of a national theatre in the old fish auction house.

● **1991** Découverte, dans les calanques, de la grotte Cosquer.

1991 Discovery in the calanques of Cosquer underwater cave.

● **1993** Découverte, sous la place Jules-Verne, de deux navires remontant à 2 500 ans avant J.-C.

1993 Discovery under Place Jules Verne of two ships built about 5,000 years ago.

● **1995** Projet Euroméditerranée pour revitaliser le port de Marseille : l'idée est de réactiver les relations millénaires que la ville a toujours entretenues avec l'Europe et la Méditerranée.

1995 Launching of the EuroMediterranée project. The idea of the project is to reactivate many of the former trading relations the city had in the past with Europe and many of the countries around the Mediterranean sea.

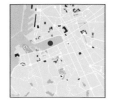

le Vieux-Port

Marseille sur mer

Le port de Marseille, depuis la fondation de la ville, a connu d'infinitésimales modifications : sa profondeur a légèrement diminué (le jardin des Vestiges montre jusqu'où, pendant l'Antiquité, il s'enfonçait), ses fonctions ont sensiblement évolué (les navires marchands et les bâtiments militaires ont laissé la place aux embarcations de pêche puis aux bateaux de plaisance), son nom a changé (au XIXᵉ siècle, avec la création des bassins de la Joliette, l'antique abri est devenu le "vieux" port). Mais l'endroit, malgré les cartes postales qui l'ont représenté et les descriptions qui en ont été faites, est demeuré le plus vivant et le plus charmant de Marseille. C'est là, sous la protection de Notre-Dame-de-la-Garde, dans le formidable désordre des mâts des voiliers, dans l'admirable lumière dorée qui fait chanter les tons des forts Saint-Jean et Saint-Nicolas - pareils à des carapaces de crustacés... C'est là, entre les allées et venues du ferry-boat, que les pêcheurs viennent offrir le produit bariolé de leurs expéditions. C'est là que la gigantesque ville reste ce qu'elle n'a jamais cessé d'être : un port de la Méditerranée.

The harbour of Marseille has only changed very slightly since the founding of the city over 2,500 years ago. It doesn't come in land quite as far as it used to (the Jardin des Vestiges reveals exactly how far the harbour used to penetrate inland during the Antiquity). On the other hand, the boats that use the harbour's moorings have changed immensely. There was a time when the harbour was used by cargo ships and the French military navy but these days are long gone and today it is used essentially by fishing boats and pleasure boats. In the 19th century, when the docks of La Joliette were constructed, the ancient harbour of Marseille was renamed the "Vieux port" (old port). Despite all the post-cards and hype one tends to hear about the Vieux Port, it is still one of the most lively and charming spots in the whole of Marseille. Well protected by Notre-Dame-de-la-Garde and Forts St Jean and St-Nicholas, the little ferry boat comes and goes and every day the local fishermen sell their catch on the quay. This is where one discovers that the huge city of Marseille hasn't really changed at all. It is still undoubtedly and very much so a Mediterranean harbour.

Le pont transbordeur a marqué de son imposante forme toutes les images du Vieux-Port de la première moitié du XXᵉ siècle. Inauguré en 1905, il a été victime des bombardements qui ont frappé la ville en 1944. Il est aujourd'hui, depuis 1967, avantageusement remplacé par un tunnel sous-marin, plus discret et tout aussi efficace...

A transporter bridge, inaugurated in 1905, stands out in all the pictures of the Vieux-Port that were made during the first half of the 20th century but in 1944, however, it was bombed and severely damaged. The tunnel which now channels the traffic goes under the Vieux Port is a great improvement on the bridge.

Ci-dessous : le pont transbordeur en 1914. À droite : l'entrée du Vieux Port avec vue sur le palais du Pharo à gauche et le fort Saint-Jean à droite.

"C'était à perte de vue un fouillis de mâts, de vergues, se croisant dans tous les sens. Pavillons de tous les pays : russes, grecs, suédois, tunisiens, américains... Les navires au ras du quai, les beauprés arrivant sur la berge comme des rangées de baïonnettes. Au-dessous, les naïades, les déesses, les saintes vierges et autres sculptures de bois peint qui donnent le nom au vaisseau ; tout cela mangé par l'eau de la mer, dévoré, ruisselant, moisi... De temps en temps, entre les navires, un morceau de mer, comme une grande moire tachée d'huile... Dans l'enchevêtrement des vergues, des nuées de mouettes faisant de jolies taches sur le ciel bleu, des mousses qui s'appelaient dans toutes les langues."

Alphonse Daudet,
Tartarin de Tarascon.

"*As far as one could see the harbour was a jumble of masts and topsail yards criss-crossing in all directions, flying flags from all over the world : Russia, Greece, Sweden, Tunisia, America... Boats right up against the pier, bowsprits coming on to the quay side like rows of bayonets. Below, the naiads, the goddesses, saint virgins and other painted wooden sculptures that give their name to the boats; and all this has gobbled up the sea water, devoured, dripping, mouldy... From time to time, between the boats, a piece of sea, like a large oil stained moire... Amidst this tangle of topsail yards, swarms of seagulls dotting the blue sky, ships' apprentices calling one another in all languages.*"

Alphonse Daudet,
Tartarin de Tarascon.

Le Vieux Port et la Canebière.

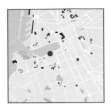

Le havre des pêcheurs

Personne ne sait, sur les quais du Vieux-Port, quelles sont les couleurs les plus remarquables : sont-ce celles des barques, soigneusement peintes et repeintes, amoureusement entretenues par leurs propriétaires, sont-ce celles des filets entassés au bord de l'eau, en attente d'un ravaudage ou d'une nouvelle équipée, ou bien les plus belles couleurs du port sont-elles celles de l'accent savoureux des poissonnières ? A toutes les heures du jour, quelle que soit la lumière, il y a, à la vérité, une profonde unité entre tout ce qui compose le charme du Vieux-Port : les "pointus" - assez ventrus, en réalité -, qu'ils flottent mollement, amarrés et tassés les uns contre les autres, ou qu'ils reviennent de loin, précédés de leur teuf-teuf inimitable, sont une partie de la ville, un peu de son esprit, aussi sûrement que les pêcheurs à la ligne du quai des Belges ou que les enfants qui s'amusent au pied des vieux cargos.

On the banks of the Vieux-Port no one knows which colours are the most remarkable: could it be those of the carefully painted small fishing boats, lovingly looked after and maintained by their owners, those of the fishing nets that lie on the water's edge waiting to be mended or for a new crew to load them on board. Who knows ? Perhaps the most remarkable colours of all around the Vieux-Port are those of the delicious 'Marseille' accents of the fisherwomen as they talk. At all times of day, no matter how light or dark it is, the charm of the Vieux-Port is really the result of all these colours combined. The small fat "pointu" fishing boats floating lazily on their moorings, huddling against one another or coming in from afar, making the inimitable 'put-put' engine noise are just as much a part of the town as the anglers on the Quai des Belges or the children playing at the foot of the old cargo ships.

Ambiances de fin de journée dans le Vieux Port.

Le monde de Pagnol

Sans vouloir ôter quoi que ce soit à l'immense talent de l'écrivain ou au génie de l'homme de théâtre, il faut bien admettre que Marcel Pagnol n'a pas eu à faire preuve de beaucoup d'imagination quand il a brossé le cadre de sa trilogie marseillaise et quand il a campé les traits de ses principaux héros. Son vrai mérite a consisté à simplement voir la réalité et à deviner ce qu'elle avait de savoureux. Il n'est pas rare, sur le quai de Rive Neuve, tandis que le "ferry-boate" continue ses imperturbables aller-retours entre la mairie et la place aux Huiles, que les parties de cartes aient la même intensité dramatique que celle immortalisée par l'Académicien ou que patrons et clients des cafés y aient des personnalités aussi hautes en relief.

Pagnol was undoubtedly a very talented writer and genius playwright but it has to be admitted it can only have taken up a small amount of his imagination to draw up the frame for his trilogy and think up the various heroes we learn about in his books. His main credit is to have succeeded in drawing up a picture of this small world as it is – guessing as he worked what it was that made the people so deliciously characteristic of their region. As the ferry continues quite unperturbed its crossings to and from Place aux Huiles it is not unusual that the customers playing cards in the cafés along Rive Neuve should be very much like those described by Pagnol in his books.

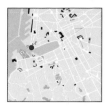

Les forts

C'est Louis XIV, en 1660, qui a décidé la construction des deux forts Saint-Jean, sur le rive nord du port (une construction fort ancienne, commanderie des Hospitaliers, existait là, munie d'une tour érigée sous le roi René, mais le roi en ordonne l'agrandissement et la fortification ; les travaux seront réalisés sous les ordres de Vauban), et Saint-Nicolas, sur sa rive sud. Il s'agissait moins, pour le jeune souverain absolu, de protéger la ville que de la surveiller. Les canons des forteresses n'étaient effectivement pas braqués vers le large, mais menaçaient, au contraire, les quartiers qui, si longtemps, avaient été turbulents ou carrément rebelles...

In 1660, Louis XIV ordered the construction of the two forts, Fort St-Jean – just north of the harbour (an older construction, the Commanderie des Hospitaliers had already been built here during the rule of King René but Louis XIV ordered it to be enlarged end fortified; the works were carried out under the orders of Vauban) – and Fort Saint Nicholas, to the south of the harbour. In the mind of the young sovereign, the purpose of the forts was more to look over the city rather than protect it from the enemy. Indeed, the cannons of these two forts were not pointed at the open sea but, on the contrary, at the more unruly and rebellious districts of the city.

Le fort Saint-Jean.

Ce n'est pas la menace de ces hautes murailles, cependant, qui a adouci les mœurs marseillaises ou qui a provoqué la docilité des habitants : c'est la prospérité commerciale, voulue, elle aussi, par Louis XIV qui a été aussi généreux avec la ville portuaire qu'il avait été sévère avec la cité insoumise. C'est son ministre, Colbert, qui a fait bénéficier Marseille de l'exclusivité d'une franchise pour les marchandises du Levant. Cette disposition, couplée à de bons efforts faits pour la Chambre de Commerce (qui devient, de fait, une espèce de ministère des colonies du royaume) et à une extension considérable du territoire de la ville, va permettre à Marseille de connaître, aux XVIIIe et XIXe siècles, une prospérité sans précédent.

Le fort Saint-Jean, pendant la Révolution, à l'image de la Bastille de Paris (comme elle, il pouvait symboliser l'absolutisme du pouvoir), sera pris par les émeutiers, son commandant, le chevalier de Bausset, massacré par la population.

Il est probable, aujourd'hui, comme en témoignent le nombre de cartes postales qui le représentent ou le nombre de Marseillais qui le prennent pour but de balade, que le fort saint-Jean est le plus beau monument de Marseille...

The docility of the Marseille lifestyle has nothing to do with the height of the forts' walls but a lot more to do with the economic prosperity of the city, which again, was wanted and encouraged by Louis XIV. The Sun king was particularly generous towards the formerly unsubdued Marseille. His minister Colbert gave Marseille a free port status for all goods imported from the Levant. This measure, together with the help of the Chamber of Commerce (which effectively became a kind of ministry of the kingdom's colonies) and the extending of the city's boundaries, contributed to a great extent to the unrivalled prosperity of the city during the 18th and 19th centuries.

Similarly to the Bastille in Paris, Fort St-Jean was besieged by rioters during the Revolution (both forts were symbols of the absolutism of the king's power). During the siege, army major Bausset was captured and beaten to death by the population. If the number of post cards that are printed each year or the number of people that take a walk there are anything to go by, then Fort St-Jean is surely Marseille's most beautiful monument.

Les forts Saint-Jean et Saint-Nicolas.

Le Pharo

Dominant le Vieux-Port, le palais du Pharo est bâti sur une butte qui s'appelait autrefois la *"Tête de More"*. De quelle victoire ou de quel fait ancien cette appellation conservait-elle le souvenir ? Plus personne ne le sait. Le palais lui-même doit son nom à la petite anse qu'il surplombe, l'anse du Farot.

C'est Napoléon III, visitant l'endroit, qui avait exprimé le désir d'avoir une résidence "les pieds dans la mer", qui fit bâtir cet édifice sur des terrains offerts par la municipalité. Le palais fut construit en deux ans (1858-1860) par l'architecte du Louvre, Lefuel, et un de ses collègues suisses, Vaucher. L'empereur, ni aucun membre de sa famille, n'y vint jamais et l'impératrice Eugénie, après 1871, en fit don à la ville. Le palais, après avoir hébergé une partie des locaux de la faculté de médecine, est aujourd'hui le siège de plusieurs administrations. Ses jardins - publics -, ornés d'un monument aux Morts en mer, sont parmi les plus agréables de Marseille.

Standing above the Vieux-Port, the Palais du Pharo was built on a mound which, at one time, was called the "Tête de More" (the Moors head). Today, however, no one appears to remember why the mound was given such a name. The palace itself was named after the small Farot cove it looks over.

It was Napoleon III, who, on the occasion of a visit to the town, and having said he would like to have a residence on the water's edge, ordered the construction of the palace on land that was very kindly given to him by the municipality. It took only two years for architects Lefuel (architect of the Louvre palace in Paris) and Vaucher, one of his Swiss colleagues, to build the palace (1858-1860). When it came to the point, neither the emperor nor any member of his family ever came to the palace and eventually, in 1871, the palace was donated to the town by the empress Eugénie. The palace was occupied for a time by the faculty of medicine but today it serves the purpose of an administrative building for the town. The public gardens of the palace are among the most pleasant in the whole of Marseille.

Coucher de soleil sur le monument aux Morts et le palais du Pharo.

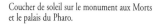

40

Le cours d'Estienne-d'Orves

Cette belle place porte le nom du héros de la France Libre. Sa physionomie actuelle, qui rappelle le campo vénitien ou la piazza romaine où sont réunies plusieurs fonctions de la vie sociale, est l'aboutissement de transformations nombreuses : au commencement, les bâtiments qui bordent le cours appartenaient à l'Arsenal des galères, prestigieux établissement créé par Henri IV et agrandi par Louis XIV ; ils étaient séparés par un canal, relié au Vieux-Port, qui n'a été comblé qu'en 1926 ; sur la place créée fut édifié, dans l'urgence des années 1960, un abominable parking en béton, heureusement démoli dans les années 1980 pour permettre les aménagements actuels.

This attractive square is called after d'Estienne d'Orves, one of the heroes of liberated France. As it stands today, the square looks rather like a Venetian campo or a Roman piazza. Initially, the buildings around the square used to belong to the naval shipyard – the Arsenal des Galères – , a prestigious company founded by Henry IV and enlarged by Louis XIV. The buildings were separated from one another by a canal which linked up with the Vieux-Port. In 1926, however, the canal was filled in and later in the 60s a particularly unattractive concrete car park was built on the site. Luckily, the car park has since been destroyed in order to allow for the more recent renovations and embellishments.

Le cours d'Estienne-d'Orves.
Le buste de Vincent Scotto
place aux Huiles.

Au plaisir du farniente auquel invitent les nombreuses terrasses installées au soleil, le cours d'Estienne-d'Orves ajoute une ancienne tradition culturelle et littéraire. C'est là, en 1924, qu'ont été créés les prestigieux *Cahiers du Sud* et c'est là, jusqu'à la mort de leur fondateur, Jean Ballard, en 1966, qu'ils ont vécu et publié quelques-unes des meilleures pages de la littérature mondiale. C'est là, plus près de nous, qu'en 1979 l'éditeur Jeanne Laffite a installé une librairie-restaurant-salon de thé, point de rencontre de nombreux artistes marseillais.

Cours d'Estienne d'Orves is a good place to come and enjoy a drink at one of the many cafés under an umbrella in the sun. The prestigious Cahiers du Sud publications were founded here in 1924 by Jean Ballard and right up until his death in 1966, it was here that some of the best pages of the world's literature were published. In 1979, publisher Jeanne Laffite opened a bookshop-restaurant-tea room which quickly became a meeting place for the city's many artists and writers.

La place Thiars.

La basilique de Saint-Victor

Fondée au Vᵉ siècle, l'abbaye de saint-Victor est une des plus anciennes de la chrétienté. Là où existait une nécropole, c'est Jean Cassien, ancien diacre de l'évêque de Constantinople, qui créée une communauté religieuse, une des plus anciennes et des plus importantes - par les cadres qu'elle a formés - des Gaules. Au XIᵉ siècle, les bâtiments sont reconstruits puis régulièrement mis en conformité, jusqu'au XIVᵉ siècle, avec les besoins des époques successives. Jusqu'au XVIᵉ siècle, l'influence de Saint-Victor s'étend à toute la Méditerranée occidentale. Sécularisée en 1739, l'abbaye est en partie détruite à la Révolution, pillée, transformée en prison et en caserne pour ce qu'il en reste. Rendue au culte sous le Premier Empire, elle est restaurée à partir de 1895.

Les cryptes, longue succession de chapelles et de cavités, ornées de sculptures médiévales et baroques, sont notamment remarquables par la Vierge Noire, du XIIIᵉ siècle, qui y est conservée. Elle est l'objet d'une grande ferveur des Marseillais qui, solennellement, la portent en procession pour la Chandeleur. C'est à l'occasion de cette fête que sont confectionnées les "navettes" (qui doivent leur nom à ce qu'elles ressemblent à de petites nefs) dans un antique four proche de la basilique.

Founded in the 5th century, Basilique Saint Victor is one of the very oldest Christian basilicas. On the site of an older necropolis, Jean Cassien, former deacon of the bishop of Constantinople, founded a religious community which soon became one of the biggest and most important baptisteries in Gaul. Already, in the 11th century, the buildings were altered and partly reconstructed and during the following centuries the buildings were altered again on several occasions. Until the 16th century the influence of the monks at Saint Victor abbey stretched all around the western Mediterranean region.

In 1739 the abbey was secularised but during the French Revolution it was ransacked by looters and partly destroyed. What remained of the buildings was converted into a prison and barracks. During the First Empire the basilica was given back to the Catholic church. Restoration works on the abbey began in 1895. The crypts and the long succession of chapels and cavities adorned with mediaeval and baroque sculptures including a 13th century Black Virgin are all quite remarkable. The Black Virgin, for whom the Marseillais have a particular passion, is solemnly brought out each year and carried in a procession through the town on the occasion of Candlemas. On the same occasion "navettes" (from the French 'nef' – nave) are made in an ancient oven nearby the basilica.

Le jardin des Vestiges

Lors de la construction du Centre Bourse, en 1967, les archéologues ont fait des découvertes considérables : c'est là, jusqu'au IIIᵉ siècle après J.-C., que se terminait le port de la ville. La corne du port est bien visible à côté d'autres monuments qui témoignent de l'organisation de l'activité portuaire et des antiques efforts de la cité pour se défendre : un bassin d'eau douce, les fortifications orientales de la ville grecque, diverses constructions (voies, nécropoles) grecques et romaines...

During the excavation works in view of the construction of the Centre Bourse in 1967, remains of the ancient port of Massalia were revealed. Indeed, up until the end of the 3rd century AD., the city harbour came further in land, curving northwards from the present Quai des Belges. The remains of the old port, together with bits of the old city wall and the base of three square towers and a gateway show, how, in those days, the port's activity and defence were organised.

Au cœur de l'agitation de la ville, à deux pas, effectivement, d'un grand centre commercial, ces vestiges, soigneusement entourés de verdure, ont trouvé une nouvelle vie : ils sont devenus, à l'écart du bruit, un agréable jardin public.

Set in the heart of the city and only a stone's throw from the huge Centre Bourse shopping centre, these ancient remains have been preciously preserved. The site is now a pleasant and peaceful public garden where people can come and get away from the noise and turmoil of the busy streets nearby.

le Panier

Le plus vieux Marseille

Quand les Grecs de Phocée, il y a vingt-six siècles, ont fondé la ville de Massalia, ils se sont installés sur la butte qui dominait l'anse où ils avaient trouvé trouvé un abri si rassurant : à l'époque, elle était entourée d'eau de trois côtés. Autant dire que le site était facile à défendre. Ses premiers habitants l'avaient organisé autour d'une agora et y avaient disposé des lieux de culte. A l'Antiquité grecque ont succédé l'époque romaine, puis le Moyen-Âge, les temps modernes et la période contemporaine. La forme du quartier n'a pas changé : l'agora est devenue la place des Moulins, les temples antiques des églises chrétiennes (les Accoules, Saint-Laurent...) et les vieilles rues ont conservé leur tracé antique et leur silhouette médiévale. Ce quartier, c'est le Panier, le plus vénérable de Marseille : chaque génération, depuis vingt-six siècles, l'a transformé mais il continue, fidèlement, à conserver, dans son charme et ses monuments, les secrets de Marseille.

The old Marseille

Two thousand six hundred years ago, when the Phocean Greeks founded the city of Massalia, the site they chose was the mound above the well protected cove where they had first moored after their long voyage. In those days the mound was surrounded by water on three sides which meant that it was indeed easy to defend from the enemy. The first settlers in Massalia organised their life around an agora and places of worship. The Greeks were followed by the Romans. Then came the days of the Middles Ages, modern times and the contemporary period. Very little has changed since those early days in this quarter of the city: the agora is now Place des Moulins, Christian churches (Accoules, Saint Laurent...) have replaced the ancient temples, while the layout of the narrow streets has hardly changed at all. This ancient quarter of the city is called Le Panier. From one generation to the next Le Panier has constantly adapted to its times but somehow the charm and secrets of its monuments and houses have survived to this very day.

Le Vieux Port, l'Hôtel de Ville, le clocher des Accoules et l'Hôtel Dieu.

Quand, pendant la Deuxième Guerre mondiale, les Allemands voulurent raser le Panier, ils avaient le projet - bien vain - d'éradiquer la prostitution et les trafics que les vieilles rues abritaient. Leur entreprise fut observée par Jean Cocteau, qui la rapporte dans son Journal, à la date du 7 février 1943 : *"La démolition du Vieux-Port a fait sortir tout un monde des profondeurs. Les Allemands, stupéfaits, ont vu apparaître des fermes avec des vaches et des laiteries. On a jeté des bombes lacrymogènes. Apparurent : des Chinois et des tonnes d'opium, des nègres intoxiqués, des fabriques de faux dollars, des tapettes, des lépreux, un camp d'aviateurs anglais."* Le quartier, aujourd'hui, est dominé par le clocher des Accoules qui a la curieuse particularité de comporter sept pans...

L'église des Accoules
et le quartier du Panier.

During the Second World War when Marseille was under German occupation, the Nazis decided to dynamite Le Panier completely in order to put an end once and for all to the prostitution and shady business that was going on in the narrow streets of the area. The inhabitants were given one day's notice to pack their bags and quit. On 7th February 1943, writer Jean Cocteau reported on this mad project in his Journal: "The demolishing of Le Panier has brought an entire world out from the depths. Tear gas bombs were fired and the Nazis were completely dumbfounded to find farms with cows and dairies, Chinese traffickers with tonnes of opium, drugged Negroes, counterfeiters, homosexuals, lepers and a British aviation camp turning to the streets". Nowadays, Le Panier is looked over by the more peaceful seven-sided Accoules church spire.

Splendeurs architecturales

L'Hôtel de Ville a été édifié de 1665 à 1674 par les architectes officiels de la ville, Gaspard Puget et Mathieu Portal. Il a été agrandi, à l'arrière, au XVIIIᵉ siècle, par l'architecte Brun. Il est, à Marseille, un des seuls exemples de l'architecture officielle française de son temps. L'écusson au-dessus de la porte principale est une réplique de celui sculpté par Pierre Puget (l'original se trouvant actuellement au musée des Beaux-Arts).

The Hôtel de Ville was constructed between 1665 and 1674 by the official architects of the city, Gaspard Puget and Mathieu Portal. During the 18th century the edifice was enlarged at the back by architect Brun. In Marseille, the Hôtel de Ville is one of the only examples of the official French architecture during that period. The coat of arms above the main doorway is a replica of the one sculpted by Pierre Puget (the original is now in the Fine Arts museum.

L'église Saint-Laurent *(page suivante)*, qui a miraculeusement échappé à la destruction de 1943, symbolise, dans la pureté et la modestie de ses formes, toute l'histoire de son quartier. Située à l'emplacement probable d'un temple grec, elle a été construite au XIIe siècle, érigée en paroisse au siècle suivant et souvent remaniée. Plusieurs corporations, dont celle, riche et nombreuse, des pêcheurs, venaient y faire leurs dévotions et des offrandes.

Posée au sommet de la butte à laquelle elle a donné son nom, elle profile désormais, entre le Vieux-Port et la rade, son clocher en forme de tour de guet.

Somehow the church of St-Laurent, which very probably stands on the site of an ancient Greek temple, miraculously managed not to get bombed in 1943. Although it was built in the 12th century, it wasn't until a hundred years later that the church was established as a parish. It has since been altered several times. Among the many guilds that attended the church, the wealthy fishermen in particular were known for their devotion to the church of Saint Laurent. The church sits at the top of Saint Laurent mound, its spire silhouetted like a look-out tower between the Vieux-Port and the roadstead.

L'**Hôtel de Cabre,** construit en 1535, passe pour être une des plus anciennes maisons de Marseille. Il se distingue par un style gothique et une décoration, déjà Renaissance, d'une richesse et d'une variété remarquables.

Hôtel de Cabre, constructed in 1535, is said to be one of the oldest standing houses in Marseille. It is noticeable for its gothic style and remarkable Renaissance decoration.

En haut, l'église Saint-Laurent.

La **Maison Diamantée,** ainsi nommée en raison des bossages en pointe de diamant qui donnent du relief à sa façade, construite à la fin de XVIᵉ siècle par un marchand d'origine espagnole, est notamment remarquable par sa splendide décoration intérieure. Elle abrite le musée du Vieux Marseille (histoire de la ville à travers diverses collections de mobilier provençal, de tissus anciens, de crèches, de santons...).

The Maison Diamantée (Diamond House), named thus because of the diamond shaped bosses on the facade of the edifice, was built in the 16th century by a Spanish trader. The interior decoration of the house is particularly remarkable. It now houses the Musée du Vieux Marseille (hotchpotch of mementoes celebrating the history of old Marseille – Provencal furniture and costume, cribs, santons, pre-1943 photographs of the area...).

Les Majors

Edifiée entre 1852 et 1893, la cathédrale de Marseille remplit pleinement la mission que son promoteur lui avait assignée et le but que ses architectes successifs voulaient atteindre : en imposer. Le bâtiment, édifié à l'entrée du port, afin d'être vu par tous ceux qui entraient ou sortaient de la ville, a des proportions considérables (142 m de long, 70 m de haut). Son emplacement, relativement excentré par rapport au centre-ville, autant que les partis-pris esthétiques qui ont présidé à sa conception expliquent que le bâtiment, à l'inverse de Notre-Dame-de-la-Garde, qui lui est contemporaine, n'ait jamais vraiment été adopté par les Marseillais. Pour rappeler l'origine grecque de la ville, les architectes ont choisi un style néo-byzantin qui, malgré les masses de dorure et les milliers de mètres carrés de mosaïque, n'est guère convaincant.

Constructed between 1852 and 1893, the massive Marseille Cathedral entirely fulfils the mission for which it was assigned. Not only was it erected at the entrance to the harbour so that it could be seen by anyone that entered or left the city, but the architects made it big: 142 m long and 70 m high. Because of its location in relation to the centre of the city and perhaps also, because of the design of the edifice, Marseille cathedral, unlike Notre-Dame-de-la-Garde constructed at a later date, has never really been adopted by the people of Marseille. As a reminder of the Greek origins of the city, the architects chose a neo-Byzantine style but sadly, despite massive amounts of gilding and thousands of square metres of mosaics, the edifice as it turns out is not particularly attractive.

Pour construire cette pompeuse pâtisserie - la Nouvelle Major -, les architectes, d'accord avec les autorités municipales et religieuses, n'ont pas hésité à raser une splendeur : la Vieille Major. Quelques hommes de goût, par bonheur, réussirent à éviter que le massacre ne fût complet : une travée et le chevet de cet admirable édifice purent être sauvés. Ils donnent une idée de l'art du XIIᵉ siècle, c'est-à-dire de la perfection. La vieille église contient, de plus, quelques chefs-)d'œuvre de la sculpture, notamment l'autel de Saint-Lazare, du XVᵉ siècle, dû au sculpteur Francesco Laurana que le roi René avait fait venir à la cour d'Aix.

In order to build the pompous Major, a team of architects, in agreement with the local religious and city authorities, set about to destroy the splendid Major Ancienne which stands alongside. Luckily, however, a few men of taste managed to prevent the worse from happening and an entire span and the chevet of the old church were saved. Not only is it a perfect example of 12th century architecture, but inside the church there are also several magnificent sculptures, particularly the 15th century Saint Laurent altar carved by Franseco Laurana.

Devant la cathédrale, la statue de Monseigneur de Belsunce rappelle le dévouement avec lequel cet évêque sut faire son devoir au moment de l'effroyable tragédie qu'a été la peste de 1720.

In front of the cathedral, a statue of Monseigneur de Belsunce is a reminder of the bishop's devotion to his city during the appalling tragedy of the black plague in 1720.

Marseille pendant la peste (détail). Tableau de Michel Serre - 1721.

La Vieille Charité

C'est en 1622 que le conseil municipal décide de *"renfermer dans un lieu propre et choisi par les consuls les pauvres natifs de Marseille afin que les estrangers fainéans et vagabonds ne s'introduisent plus parmi eux".* Il faudra attendre dix-sept ans pour voir l'hospice s'installer dans des locaux provisoires et attendre 1671 - un demi-siècle après la décision initiale - pour assister au démarrage des travaux conduits par Pierre Puget. C'est en 1745, finalement, longtemps après la mort de l'artiste, que l'hôpital sera achevé.

In 1622 the city council decided to "lock away the poor natives of Marseille in a clean place chosen by the consuls so that the lazy strangers and vagrants could no longer mingle with them". It took seventeen years for the first, provisional hospice to be opened and it wasn't until 1671 – 50 years after the measure had been approved by the council – that the building of the hospice actually got underway under the management of Pierre Puget. When completed eventually in 1745, Pierre Puget had been dead for many years.

À la fin du XIXᵉ siècle, le bâtiment sert de caserne, puis est vaguement transformé en logements avant d'être plus ou moins abandonné et de servir de squatt. Classé monument historique en 1951, le bâtiment est restauré à partir de 1968 et livré, dans sa splendide présentation actuelle, en 1986.

La Vieille Charité est constituée d'une vaste cour intérieure (82 m sur 45) entourée de trois étages de bâtiments desservis par des galeries ajourées ; au centre de la cour, la chapelle est surmontée d'un dôme ovoïde qui constitue une prouesse artistique et introduit, dans l'ensemble très classique, une note italienne et baroque. Le temps où, selon le règlement de 1712, *"les pauvres se lèveront à 5 heures en été et à 6 heures en hiver, ils se coucheront à 9 en été et à 8 en hiver, ils s'habilleront en silence, en priant Dieu tout bas, se peigneront et couvriront leurs lits"*, ce temps-là a laissé la place à notre époque où la Vieille Charité est devenue un foyer actif de vie culturelle, abritant des organismes à vocation artistique, plusieurs musées et des expositions temporaires. Elle est le siège, l'été, de manifestations de plein-air (représentations de théâtre, concerts...).

At the end of the 19th century, the workhouse was used for army barracks, following which it was converted into housing for a while but eventually the old hospice was completely abandoned and left to squatters. In 1951, the building was listed as a historical monument; restoration works were launched in 1968 but not completed until 1986.

The Vieille Charité consists of a vast inner courtyard (82 m x 45 m) surrounded by a three storey building with columned arcades in pink stone leading up to each level. In the middle of the courtyard a charming Baroque chapel is topped by an oval shaped dome. Gone are the days when, according to the rules of 1712 "the poor will rise at 5 o'clock in summer and 6 in winter; they will go to bed at 9 in summer and 8 in winter; they will dress in silence and pray to God; they will comb their hair and put the bed cover on their beds...", nowadays the Vieille Charité has been converted into a major art-centre, housing an ethnology and an archaeological museum, temporary exhibitions and other artistic events. Indeed, during the summer months, outdoor concerts and theatre performances are held at the Vieille Charité.

L'**Hôtel-Dieu,** place Daviel, est représentatif, lui aussi, de l'architecture hospitalière française. Edifié au XVIIIe siècle sur les lieux d'un ancien établissement hospitalier, d'après des plans de Mansard, neveu de Hardouin-Mansard, remanié sous le Second Empire, le bâtiment, désaffecté il y a quelques années, est en attente de sa nouvelle destination. Ses trois étages à arcades, ajourés comme ceux de la Vieille-Charité, révèlent cette ancienne croyance - au demeurant pas absurde, même si elle a des limites - que le grand air, en faisant circuler miasmes et fétidités, favorise la guérison des malades : le visiteur, aujourd'hui, ne peut qu'admirer l'élégance de ce monument...

Hôtel Dieu on Place Daviel is another typical example of French hospital architecture. The edifice was constructed on the same site as an older hospital following the plans of Mansard, nephew of Hardouin-Mansard. During the Second Empire major alterations were made to the original edifice. Hôtel Dieu has been disused now for several years. Similarly to the Vieille Charité, it is an open gallery three storey building, specially designed to get the patients and occupants outside into the open air so as to disperse foul smells.

À quelques pas de l'Hôtel-Dieu, hommage à Honoré Daumier (1808-1879), peintre, sculpteur, lithographe né à Marseille.

les ports

Des docks et des quais

Au milieu du XIX⁰ siècle, tandis qu'apparaît la navigation à vapeur et que le commerce lié à l'expansion coloniale de la France se développe vertigineusement, une nouvelle ville, de quais et d'entrepôts, de bureaux et d'habitations, de hangars et de sièges de prestigieuses compagnies, voit le jour au nord du Lacydon, devenu, en la circonstance, le "vieux" port. Le bassin de la Joliette est inauguré en 1844, avant, sous le Second Empire, ceux du Lazaret, d'Arenc et National et, au XX⁰ siècle, les bassins Pinède, Président-Wilson et Mirabeau. D'immenses docks, inspirés par la forme de ceux de Londres, sont construits de 1858 à 1863 par l'architecte Desplaces.

In the middle of the 19th century, shortly after the appearance of the first steamers and at a time when the French colonies were expanding quite considerably, a new town developed very quickly to the north of the Vieux-Port, complete with docks, warehouses, offices, hangars and head offices of some of the biggest companies in the country. The docks of la Joliette were inaugurated in 1844, followed during the Second Empire, by the docks of Lazaret, Arenc and National. Pinède, Président Wilson and Mirabeau docks were inaugurated at the beginning of the 20th century.

Si le port autonome de Marseille continue à être fort actif (le troisième d'Europe après Anvers et Amsterdam, mais le trafic de marchandises passe de plus en plus par les installations modernes de Fos, celles de Marseille à proprement parler étant progressivement délaissées), les docks, en revanche, n'ont plus d'utilité marchande : ils sont progressivement réhabilités en lieux culturels.

The Port Autonome of Marseille is still a very busy port (the third port in Europe, after Anvers and Rotterdam) but today many of the cargoes and container ships are loaded and unloaded nearby, at the more modern installations of Fos. As and when they become disused, the old docks of Marseille are gradually being reconverted into cultural centres and used for interesting housing schemes.

L'Estaque

Protégé du mistral par la chaîne de la Nerthe, le port de l'Estaque s'est acquis une célébrité universelle en étant représenté par quelques-uns des plus grands peintres contemporains : Paul Cézanne, Georges Braque, Raoul Dufy, Albert Marquet, Othon Friesz, Paul Guigou, Auguste Renoir, André Derain, sans parler du Marseillais Adolphe Monticelli. L'impressionnisme, le fauvisme et le cubisme, l'un après l'autre, s'y sont magistralement illustrés. Le cinéma, plus récemment, a contribué, pour sa part, avec *Marius et Jeannette*, à populariser ce village de pêcheurs.

Les visiteurs en apprécient la bouillabaisse renommée et les spectacles qu'à la belle saison les jeunes gens qui s'affrontent en des joutes nautiques offrent sur leurs barques colorées. Dès qu'on s'élève vers les collines, en direction, précisément, de quelques-uns des lieux reproduits par des peintres de génie (place de l'Eglise, château Bovis, vallon de Riaux, château Fallet...), la vue sur la rade de Marseille, les ports et les îles, est admirable : il suffit de l'immense talent des peintres qui y sont venus pour la reproduire. A défaut, on peut courir les plus grands musées du monde pour retrouver les œuvres fameuses... On peut aussi se laisser bercer par le charme pittoresque de ce quartier populaire à l'âme forte et bigarrée ou par ses jolies plages enserrées dans d'admirable rochers.

Well protected from the strong Mistral wind by the Nerthe hills, the small port of L'Estaque has acquired international fame thanks to the many well known contemporary artists that have come here to paint pictures of the fishing village: Paul Cézanne, Georges Braque, Raoul Dufy, Albert Marquet, Othon Friesz, Paul Guigou, Auguste Renoir, André Derain and of course the Marseillais Adolphe Monticelli. It is quite clear that Cubism, Fauvism and Impressionism have decidedly marked L'Estaque. More recently, the popular movie Marius and Jeannette, filmed at L'Estaque, has brought this attractive fishing village even further under the spotlight.

Visitors to L'Estaque come to enjoy a bouillabaisse, the local gastronomic speciality, or to watch the young men confront one another on their colourful joutes. Heading uphill to some of the places that one sees in the artists' paintings of the village (Place de l'Eglise, Château Bovis, Riaux valley, Château Fallet...) there is a splendid view of Marseille, the docks and the islands afar. If you don't have time to climb the hill to admire the view, then perhaps one day the view will come to you on the occasion of a visit one or other of the world's best art museums. Besides the spectacular view, the village is full of character and there are some particularly nice beaches hidden away in the rocks.

Tableau de Paul Cézanne : la montagne Marseilleveyre vers 1878-1882.
Le quartier de l'Estaque et la plage de Corbière.

Saint Prex, collection particulière Giraudon

le centre-ville

La Canebière

Symbole presque aussi solide que le Vieux-Port - où elle aboutit - ou que Notre-Dame-de-la-Garde, la légendaire Canebière Ⓐ Ⓑ est la grande avenue marseillaise. Si elle n'est plus bordée par les splendides cafés et par les grands hôtels qui retenaient, à son passage dans la ville, une clientèle huppée, si les salles de spectacle prestigieuses qui la jalonnaient se sont raréfiées, la Canebière - qui doit son nom à une espèce de chanvre qui était cultivée ou commercialisée là - demeure un des lieux essentiels de la cité : manifestations, carnavals, défilés officiels, tout monte ou descend la Canebière... Les Réformés (c'est l'appellation usuelle de l'église Saint-Vincent-de-Paul, en haut de l'avenue), les "Mobiles" Ⓒ (monument aux Morts), la fontaine de Danaïdes Ⓓ ou le palais de la Bourse, tout y sert de lieu de rendez-vous.

"Quand je compris que ce scintillement bleu, au bout de la Canebière, c'était déjà la mer, le Vieux-Port, je ressentis pour la première fois (...) le seul vrai bonheur qui reste accessible à chaque être : le bonheur de vivre.", Anne Seghers, *Transit* (1947).

The Canebière is just about as legendary as the Vieux-Port or Notre-Dame-de-la-Garde. No doubt about it, the Canebière is the big avenue in Marseille. The splendid cafés and hotels that used to attract wealthy visitors to the city have gone and there aren't as many prestigious theatres along the street as there used to be but the Canebière is still one of the essential spots in Marseille. Anything and anyone that has anything to do with Marseille, has to come down the Canebière. Thus the Canebière is host to demonstrations, carnivals, processions and official parades.

"When I understood that the blue coloured twinkling at the bottom of the Canebière was already the sea, the Vieux-Port, I felt for the first time (…) the only true happiness that is accessible to all : the happiness of living."

Anne Seghers, *Transit* (1947).

"**C**'*est la Canebière assourdissante,
la hâte vaine des gens qui se pressent
avec des figures de fainéants, des
fleurs, des fruits exotiques, des moules
mouillées, des huîtres, des praires, des
violets, des barmen jaunes et noirs,
des "dames" en soie noire et dentelle.
C'est le port bleu, les bateaux blancs,
la dentelle géométrique des cordages
et des mâts...*"

Colette, *Belles saisons.*

L'écrivain avait-elle vu, aux allées
de Meilhan, la foire aux santons
qui se tient au mois de décembre ?
Avait-elle assisté aux farandoles ou
à la messe des santonniers qui
inaugurent la manifestation ?
Avait-elle parcouru, autour de la
Saint Jean, la foire à l'ail ?
S'était-elle promenée, le matin,
entre les fleurs du marché ?
Ses saisons, à n'en pas douter,
auraient été encore plus belles...

La messe des santonniers
en l'église des Réformés.
La foire aux santons.

"This is the deafening Canebière, the vain host to the hurried, lazy-looking people, to the flowers, exotic fruits, wet mussels, oysters, clams, violets, yellow and black barmen, 'ladies' dressed in silk and lace. This is the blue port with the white boats, geometrical riggings and masts…"

Colette, *Belles Saisons.*

One wonders if writer Colette saw the santon fair, held each year in December along the Allées de Meilhan? Did she stay to see the farandoles? Did she wander through St-Jean's garlic market? Did she take an early morning walk among the flowers in the market? Had she been in Marseille in those seasons, her visit would undoubtedly have been even more enjoyable…

La foire à l'ail et le carnaval.

La gare Saint-Charles

Si le train est arrivé à Marseille en 1848, ce n'est qu'au début du XXᵉ siècle que fut décidée la construction de l'escalier monumental qui conduit à la gare. Le concours d'architecture pour le réaliser fut ouvert en 1911, mais, en raison de la guerre, les travaux pour sa réalisation n'ont commencé qu'en 1923 ; c'est pourtant, avec ses massives sculptures allégoriques, *Colonies d'Afrique* et *Colonies d'Asie*, œuvres de Louis Botinelly, une caricature de décor 1900 qu'il offre au passager débarquant à Marseille. Les écrivains qui ont livré leurs impressions en haut des fameux escaliers ne se comptent plus. Parmi eux, les images rapportées par Simone de Beauvoir demeurent exactes : *"Sous le ciel bleu, des tuiles ensoleillées, des trous d'ombre, des platanes couleur d'automne ; au loin, des collines et le bleu de la mer ; une rumeur montait de la ville [...] et des gens allaient et venaient au creux des rues noires."* La Force de l'âge.

The railway train first reached Marseille in 1848 but the monumental stairway leading to the station wasn't built until the beginning of the 20th century. The architectural competition for the job was launched in 1911 but, because of the war, the works only actually started in 1923. The massive allegorical sculptures – African colonies and Asian colonies – carved by Louis Botinelly are typical of early 20th century architecture. Many writers have expressed their feelings as they stood at the top of the stairway. Simone de Beauvoir, in particular, wrote something that was absolutely true: "Under a blue sky, sunny tiles, shaded holes, autumn coloured plain trees; afar, hills and the blue sea; a rumour rose from the city [...] and people came and went amidst the dark, black streets." La Force de l'Age.

MARSEILLE - Escalier monumental de la Gare St Charles
Sénès et Arnal, Architectes

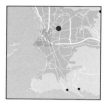

Le palais Longchamp

Ce monument, œuvre de l'architecte Henri Espérandieu (à qui Marseille, dont il fut l'architecte officiel, doit également la basilique Notre-Dame-de-la-Garde et le suivi des travaux de la Major), est un temple à la gloire de l'eau. Ce bien, sous les latitudes et le climat méditerranéens, est une richesse fort convoitée. Pour faire face aux besoins de l'accroissement de sa population, la ville avait décidé, en 1839, la création d'un canal pour amener à Marseille l'eau de la Durance. C'est pour célébrer l'arrivée du précieux liquide, gage de fertilité, que fut décidée la construction d'un château d'eau. Le projet prit, à tous les sens du terme, un peu d'ampleur, avec l'adjonction de deux musées, l'un des Beaux-Arts, l'autre d'Histoire naturelle. Le palais, achevé en 1869, même s'il est difficile de ne pas en souligner le pompiérisme, est de belle facture et ne manque pas d'allure. Le parc qui entoure la monument abrite un jardin zoologique qui compte encore quelques vestiges exotiques.

Palais Longchamp was designed by the one-time official architect for Marseille, Henri Espérandieu (also the architect for Notre-Dame-de-la-Garde basilica and manager of the works on the Major). The palace is a temple to the glory of water, a much coveted resource under the Mediterranean climate. In order to meet the increasing demand of the population in terms of water supply, the city of Marseille had decided in 1839 to build a canal which would bring water from the Durance river across to Marseille. The arrival of this precious liquid in the city had to be celebrated of course, so the municipality decided to build a water tower as a grandiose conclusion of the aqueduct. The initial project grew somewhat in all respects and two museums were added, devoted to Fine Arts and Natural Science. Completed in 1869, the palace was set in a park, complete with a zoo.

Le muséum d'Histoire naturelle, dans l'aile droite du palais, présente des collections de minéralogie, des vestiges préhistoriques, des espèces de faune et de flore provençales, un aquarium. L'ensemble, qui ne manque pas d'intérêt, est cependant particulièrement remarquable par le témoignage qu'apporte ce musée sur le décor et la muséographie en vigueur au XIX᷉ siècle.

In the palace's south wing the Muséum d'Histoire Naturelle shelters collections of minerals, fossils, prehistoric remains, Provencal fauna and flora and an aquarium.

Détails architecturaux
du palais Longchamp.

Le musée des Beaux-Arts, dans l'aile gauche, présente des collections constituées au lendemain de la Révolution et enrichies depuis deux siècles. Les toiles les plus intéressantes sont celles de l'école française des XVIIᵉ et XVIIIᵉ siècles, de l'école italienne des XVIᵉ et XVIIᵉ siècles et celles qui illustrent l'école provençale. On peut y voir, à côté d'œuvres de Pierre Puget (en particulier un admirable Faune), des toiles d'Emile Loubon, Paul Guigou, ou Félix Ziem.

In the north wing, the Musée des Beaux-Arts shelters a good collection of paintings. The most interesting of these are probably those of the École Française of the 17th and 18th centuries, the Italian school of the 16th and 17th centuries and those of the École Provencale. Paintings of the Marseille-born Pierre Puget are also on display (particularly the impressive Faune), together with works by Emile Loubon, Paul Guigou, and Felix Ziem.

La salle de Provence
du muséum d'Histoire naturelle.
Pierre Puget statufié et une de ses œuvres :
le Faune, exposé au musée
des Beaux-Arts.

Le palais de Justice

Fidèle à son origine grecque, Marseille a tenu a ce que son palais
de Justice rappelât une rigueur
tout athénienne : ses proportions
et ses formes sont irréprochable-
ment classiques et ses chapiteaux
utilisent l'ordre dorique. Les sen-
tences rendues là peuvent-elles
manquer d'équilibre ? Le bâtiment, construit en 1862 par l'architecte Auguste Martin, est orné
d'allégories représentant la Justice, œuvres du sculpteur Eugène
Guillaume. L'esplanade et le bassin, qui séparent le bâtiment du
cours Pierre-Puget, servent parfois de lieux de manifestations.

*Forever faithful to its Greek origins,
Marseille's court of justice had to be
a reminder of the Athenian style
and indeed, the proportions and
shape of the edifice follow the classi-
cal style down to the smallest detail,
including the Doric columns. Built
in 1862 by architect Auguste Martin The Palais de Justice is decorated with allegories (carved by sculptor Eugene Guillaume) representing
justice scenes. The esplanade which
separates the building from Cours
Pierre Puget is sometimes the seat of
demonstrations and protests.*

La place Castellane

A la charnière de deux parties de la ville, celle, ancienne, dédiée au commerce et aux affaires, qui se termine avec la rue de Rome, et celle, plus résidentielle, qui commence avec le Prado, la place Castellane A - qui n'a rien à voir avec la cité du même nom, là où a grandi Zinedine Zidane, célèbre joueur de football - doit son nom au marquis de Castellane-Majastre, qui avait fait don des terrains à la ville. Elle est remarquable par la fontaine qui, depuis 1911, en orne le centre et remplace l'obélisque qui a été transporté à l'extrémité du boulevard Michelet. La fontaine B C fut offerte à sa ville par un marbrier, Jules Cantini, reconnaissant à sa cité d'avoir assuré sa prospérité. Circulaire, la fontaine s'ordonne autour de solides figures allégoriques et d'une haute colonne. L'ensemble ne manque pas d'allure.

A

B

Place Castellane joins the old town at the end of rue de Rome to the more residential new town which runs from the beginning of the Prado. The place was called after the marquis of Castellane-Majastre who donated a big chunk of land to the city and has nothing to do with the Castellane housing estate where Marseille's most famous football player Zinedine Zidane grew up. There is a big fountain in the middle of the square, built there in replacement of an obelisk that was moved in 1911 to the end of boulevard Michelet. The impressive fountain was donated to Marseille by Jules Cantini as a thank you for his prosperity. It is round and arranged around several very solid allegorical figures and a high standing column.

La préfecture

Comme beaucoup de monuments du centre de la ville, le sompueux hôtel de la préfecture B C a été élevé sous le Second Empire, entre 1861 et 1866. Il est dû à la volonté du plus énergique préfet que le département ait connu, le sénateur de Maupas, et au travail, malheureusement déformé, de l'architecte Auguste Martin. Celui-ci avait le projet de s'inspirer du Palazzo Vecchio de Florence - ce qui n'était pas une référence trop mal choisie -, mais le préfet préférait un bâtiment plus conventionnel, symbole sompueux de la vocation officielle qui lui était promise. C'est ce monumental palais qui trône désormais au bout de la rue Saint-Ferréol A - la rue Saint-Fé, disent ceux qui la fréquentent régulièrement... - et qu'une fois par an, lors des journées du patrimoine, on peut visiter.

Like many of the more remarkable edifices around the city centre, the sumptuous Hôtel de la Préfecture was built during the Second Empire, between 1861 and 1866. Commissioned by the particularly dynamic préfet and senator De Maupas, the building was designed by architect Auguste Martin who had visions of building something along the lines of the Palazzo-Vecchio in Florence. The préfet, however, had other ideas and chose a more conventional style which he thought would better symbolise the official purpose of the edifice. Thus, the monumental Préfecture stands at the end of rue Ferrérol – or rue Fé as it is known by all those that know the street. It is only open to the public one day a year, on the occasion of the Journée du Patrimoine – National heritage day.

A

Non loin de la préfecture, la fontaine Estrangin , édifiée par Ballar en 1890, rappelle, par ses allégories en proue de navires, la vocation maritime de Marseille. Elle la rappelle, en particulier, aux deux institutions qui la bordent : la Caisse d'Epargne et la Banque de France.

Within a short distance of the Préfecture, Estrangin fountain (erected by Ballar in 1890) with its allegories of ships' bows, reminds the visitor and passer-by of the maritime vocation of the city.

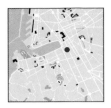

L'opéra

Edifié sur une partie des terrains de l'ancien arsenal, l'opéra de Marseille, après un incendie, a été reconstruit, dans le style néo-grec-Art-déco, entre 1919 et 1924. La salle - qui est plus art-déco que néo-grecque... - est ornée d'un beau bas-relief de Bourdelle.

L'opéra, à Marseille, est une très vieille tradition : le plus ancien établissement où se sont donnés des spectacles de ce genre a été fondé en 1767, ce qui fait de la cité phocéenne, après Paris, la doyenne française en la matière. On y aime Wagner et les œuvres françaises, mais c'est le répertoire italien, sans doute, qui y a les faveurs d'un public toujours nombreux. On y aime également la danse et c'est à Marseille, depuis une dizaine d'années, qu'est installée l'Ecole nationale supérieure de danse, successivement placée sous la direction de Roland Petit et Marie-Claude Pietragalla.

Marseille a révélé ou donné naissance à des compositeurs fameux : Ernest Reyer, Darius Milhaud ou Henri Tomasi.

The Opéra de Marseille was built on a section of the land that was disused by the naval shipyards. Following a fire in which it was very badly damaged, the neo-Greek and Art-deco Opéra was rebuilt between 1919 and 1924. The hall – which is more Art-deco than neo-Greek – is decorated with a beautiful low relief produced by Bourdelle.

Opera is one of Marseille's older traditions: the oldest opera house was built in 1767, which makes Marseille the second oldest city after Paris where this type of performance was given. Among the opera house's favourites are Wagner and several French works but overall the public has a preference at present for the Italian repertoire. Dancing is also popular and performances are staged regularly at the Opéra. The Ecole Nationale Supérieure de Danse has been established in Marseille for about en years, under the management of Roland Petit and Marie-Claude Pietragalla, successively. Famous composers such as Ernst Reyer, Darius Milhaud or Henri Tomasi were revealed to the public in Marseille.

Fête de la Musique devant l'Opéra.

La porte d'Aix et le quartier des Carmes B

L'arc de triomphe A de la porte d'Aix a été construit de 1823 à 1839. Sa décoration, qui, dans le goût du genre, célèbre Austerlitz, Marengo et "la Patrie appelant ses enfants à la défense de la Liberté", a été confiée à Jules Ramey et David d'Angers.

La construction de nouveaux édifices dans ce quartier - un des plus anciens de la ville, qui avait été négligé aux XIXᵉ et XXᵉ siècles, au point qu'il a fallu raser un grand nombre d'îlots insalubres - et, notamment, du siège du Conseil régional, s'inscrit dans une active politique de réhabilitation. Les bâtiments anciens, comme les halles C construites par Pierre Puget ou la charmante église des Carmes (Notre-Dame-du-Mont-Carmel, du XVIIᵉ siècle, mais comportant des voûtes du XVᵉ siècle), dégagés de constructions qui les écrasaient, y ont désormais toute leur place.

C

The triumphal Arch of the Porte
d'Aix was erected between 1823
and 1839, and decorated accord-
ingly with reminders of [the battle
of] Austerlitz, Marengo and the
"patrie" – country – calling its children to defend Liberty by Jules
Ramey and David d'Angers. After
being very neglected during the
19th century and much of the 20th
century, the area around Porte
d'Aix is now being developed by the
municipality. Several squalid tene-
ment blocks have been destroyed
and replaced by flashing new public
buildings such as that of the Conseil
Régional. The older buildings like
the covered market built by Pierre
Puget or the charming church of
Carmes (Notre-Dame-du-Mont-
Carmel, 17th century but with
older 15th century vaults) have
benefited enormously from this
urban development program.

Intérieurs, extérieurs

La meilleure manière d'aimer Marseille - sinon de comprendre cette ville "mystérieuse" dont parlait Cendrars - est de se promener au gré des rues, en quête des mille signes qui donnent des indications sur une ville parce qu'ils sont, eux-aussi, la ville : des façades, des encadrements de portes, des menuiseries, des balustrades en fer forgé, des perspectives, des ornements, des couleurs, des matières, des fontaines, des détails... Ici un peu de cuivre, là une pierre blonde, plus loin une ombre qui rend nerveux ce qu'elle souligne, ailleurs des platanes, des cyprès, des atlantes ou, dans une niche, une vierge à qui les propriétaires de la bâtisse ont dû demander aide et protection...

Le quartier de la Plaine.

The best way to appreciate Marseille – and perhaps understand this "mysterious" city that writer Blaise Cendrars spoke of – is to take a stroll through the streets of the city and look out for all the little indicators that tell you things about the city. It could be a facade, a door frame, some old woodwork, a sun bleached stone, a shadow, wrought iron railings, plane trees, cypress trees, an interesting perspective, decorations, colours, materials, fountains, the detail of a shop window…

Des bustes, au gré des carrefours, qui rappellent un inventeur, un artiste, un "généreux donateur", un enfant du quartier, un grand homme ou un illustre inconnu... Des monuments animent places et avenues et rythment la balade : une fontaine qui ne manque pas de panache, un immeuble majestueux, une façade de belle facture, un fronton opulent... Vingt-six siècles d'histoire, de vie, de patience, de réussite, de gloire, vingt-six siècles d'une ville : on n'a pas trop d'une existence pour le découvrir...

Fontaines et sculptures - cours Julien, quartier d'Endoume, quartier Belsunce.

Busts calling to mind an artist, a sculptor, a "generous donator", a young child, a tall man or simply the people walking down the street…Monuments bringing to life the squares and places, a pompous looking fountain, an impressive building, an opulent pediment… Twenty six centuries of history, of patience, of success, of glory, twenty six centuries of a city: one life can barely suffice to discover such a city.

Fontaine Wallace - quartier de la Plaine.

Les privilégiés de ces balades informelles - ou les plus curieux - savent se faire ouvrir les portes de splendides hôtels particuliers : sièges d'entreprises ou d'administrations, ils conservent les fastes rutilants des splendeurs de la ville quand les commerçants, peu ou prou, étaient aussi un peu artistes ou, à défaut, mécènes. Partout, à l'extérieur et à l'intérieur, c'est la même impression qui domine : Marseille, entre Provence et Méditerranée, est la ville du soleil.

Anyone enjoying the privilege of these informal walks around the city will inevitably want to start pushing the doors of some of the splendid town houses and public buildings in order to discover the bygone splendours of the city, a time when the traders were themselves either artists in their own right, or, failing that, patrons of the arts. Wherever one looks, inside or out, the impression is the same : Marseille, between Provence and the Mediterranean sea, is undisputedly the sunshine city.

Intérieurs de magnifiques hôtels particuliers du XIXᵉ siècle - rue Stanislas-Torbent (Observatoire régional de la santé), rue Saint-Sébastien (siège de la société Fidrovex S.A.).

163. - MARSEILLE. - Vue générale sur N.-D. de la Garde - EL.

Notre-Dame-de-la-Garde

La colline sur laquelle est posée Notre-Dame-de-la-Garde paraît bien avoir été occupée, depuis les temps les plus reculés, par des lieux de culte ou de pèlerinage. Quelques parenthèses, plus ou moins longues, pendant lesquelles l'endroit fut utilisé à des fins défensives, ont souligné le remarquable intérêt stratégique de l'endroit.
C'est en 1852 que le gouvernement autorisa l'édification d'une basilique là où existait un fortin créé au XVIᵉ siècle. Des fortifications et un pont-levis rappellent, du reste, l'ancienne fonction militaire de la colline. Le bâtiment romano-byzantin qui domine Marseille est dû au binôme qui a bâti la Major, Léon Vaudoyer et Henri Espérandieu. La Vierge dorée qui couronne l'édifice est sortie des ateliers du joaillier Christofle. La basilique, en plus de l'étourdissante vue que de ses terrasses l'on a sur la ville et la rade, est notamment remarquable par la richesse de ses décors intérieurs (mosaïques, emploi de matériaux précieux...).

The chances are that the hill south of the harbour, atop of which the city's Second Empire landmark Notre-Dame-de-la-Garde now stands, was already a place of worship thousands of years ago. It was in 1852 that the French government gave an approval for the construction of a church on the site of a former fort built during the 16th century. Remains of the fortifications and a drawbridge from this period still remain. Designed by architects Léon Vaudoyer and Henri Espérandieu (cf. the Major) and crowned by a monumental gold Virgin that gleams to ships far out at sea, the neo-Byzantine Notre-Dame-de-la-Garde houses some interesting interior decorations and mosaics within.

Notre-Dame-de-la-Garde est le plus célèbre lieu de culte marial de la ville. Les pèlerins viennent des différents quartiers de Marseille, mais aussi de toute la Provence et, souvent, de beaucoup plus loin. Témoignent de cette ferveur votive le très grand nombre d'ex-voto conservés dans la basilique ou sur ses murs. Ces objets de piété populaire - une des plus importantes collections de France - racontent, de façon touchante, plusieurs siècles de soucis domestiques, de périls, de maladies, de craintes et d'espérance. Des tableaux, des maquettes, des objets, des plaques, de simples initiales : tous ceux qui avaient fait un vœu et qui furent exaucés ont tenu, à leur manière, à remercier la "Bonne Mère".

From the terraces in front of the church, the views of the city and docks are quite spectacular. Notre-Dame-de-la-Garde is the most famed Marian place of worship in Marseille and pilgrims come to the church from all areas of the city and even further afield in Provence. The many thanksgiving plaques that adorn the walls of the church recall several centuries of domestic concerns and worries: dangers and threats, illnesses, hopes, etc. Other pilgrims who had a wish or whose wish may have come true, have donated pictures and other objects to the beloved and protective "Bonne Mère".

corniche et bord de mer

Le Roucas-Blanc

"Hier, le temps fut divin, et l'endroit d'où je découvris la mer, les bastides, les montagnes et la ville est une chose étonnante. Je demande pardon à Aix, mais Marseille est bien plus joli et plus peuplé que Paris à proportion. De vous dire combien il y a de belles âmes, c'est ce que je n'ai pas le loisir de compter. [...] L'air en gros y est un peu scélérat." Où était installée Madame de Sévigné quand elle rédigea cette lettre datée de 1672 ? On ne le sait pas avec exactitude. On peut faire l'hypothèse qu'elle était quelque part au-dessus de ce qui est la Corniche et - pourquoi pas ? - du côté du Roucas-Blanc... De ces collines blanches (roucas, en provençal, veut dire rocher), tout escarpées, organisées en ruelles pentues, voire en escaliers difficilement praticables les jours de grand vent, la vue, sur la mer, est toujours pittoresque et, souvent, aérienne.

"Yesterday the weather was divine and the spot from where I could see the sea, the country houses, the hills and the town comes as a surprise. I beg Aix to forgive me but Marseille is considerably more beautiful and, all things in proportion, more densely populated than Paris. [...] The air, on the whole, is a little villainous." *Where was Madame de Sévigné seated when she wrote this letter in 1672 ? It is not known exactly but there is a good chance that she was somewhere above what is known today as the Corniche, perhaps even somewhere in the Roucas-Blanc hills. From these cragged, steep, white, sun bleached hills (in Provencal, roucas means rock), there is at all times a splendid panoramic view of the sea.*

Le vallon des Auffes

Le vallon des Auffes est un de ces innombrables villages que la grande ville, en s'élargissant, a englobés. Il doit son nom à une plante, l'alfa - aufo, en provençal -, jadis utilisée dans la vannerie et la production de cordages.

Le petit port, blotti au fond de son canyon, quelques dizaines de mètres en-dessous de la promenade de la Corniche qui le surplombe, a conservé de nombreuses traces de ce qui a été, pendant des siècles, son activité principale : il est un village de pêcheurs, reconnaissable à un mélange désordonné de barques, de hangars et de cabanons. Depuis quelques dizaines d'années, le vallon des Auffes, à l'écart de l'agitation de la grande cité, a ajouté à son activité traditionnelle une spécialité nouvelle : il est devenu un haut lieu touristique et gastronomique, réputé, en particulier, pour l'excellence de ses bouillabaisses. Un séjour marseillais qui ne comporterait pas une soirée au bord de la charmante crique pourrait-il être complet ?

The Vallon des Auffes is one of the many smaller villages that the city swallowed up as its boundaries spread further and further out from the centre. The name Auffes stems from the name of a plant, esparto grass – aufo in Provencal – used in former times to make baskets and riggings for boats. Nestling into the small canyon below the Corniche promenade, Auffes, with its little huts and hangars alongside the harbour and colourful boats tied up to the quay, is still very much a small fishing village at heart. Over the past decade or so, however, Vallon des Auffes has developed a reputation for its restaurants serving the local bouillabaisse as a speciality and increasing numbers of visitors to Marseille now include the cute Vallon de Auffes in their gastronomic tour of the city.

102

Malmousque

A l'écart des circuits touristiques et
des lieux à la mode - même s'il
compte un des plus charmants
hôtels de la ville -, ce quartier, pour
une raison, mériterait une célébrité
mondiale : c'est là, pour l'ensemble
de la planète, qu'est mesuré le
niveau de la mer. Le mont Blanc,
par exemple, est à 4 807 mètres au-
dessus de Malmousque...

*Although the town hall in the little
fishing village of Malmousque is
absolutely charming, it is well off
the tourists' beaten track and by no
means one of the more fashionable
spots in town. Besides the delightful
town hall it is important to know (!)
that it is in Manousque that sea
level is established for the entire
world planet. Thus, when we think
of the height of Mont-Blanc for
example, which stands at 4,807 m
above sea level, we should really say
4,807 m above Malmousque !*

Imbriqué au rocher, ce quartier de pêcheurs, jadis exclusivement construit de cabanons et de guinguettes, est parmi les plus pittoresques de la ville : ses ruelles - dont les noms, comme ce *"Chemin de la Batterie aux lions"*, rappellent l'ancienne nécessité de se défendre -, ses criques, son petit port, ses barques multicolores, tout est naturellement à taille humaine et charmant. La route, plus haut, qui emporte, par le pont de la Fausse-Monnaie, le flot des voitures sur la Corniche, pousse même la délicatesse jusqu'à isoler ce bout du monde du reste de la ville...

Nestling into the rocks, the picturesque quarter of Malmousque was nothing in bygone days but a succession of fishermen's huts and small restaurants huddling together around the harbour. Nowadays things have changed of course but many of the colourful fishing boats are still there. Way up above the cove, Fausse Monnaie bridge keeps the streams of traffic on the Corniche, well out of the way of the village.

La Malmousque, le plus méconnu
des quartiers de Marseille ?
"Zizou", le plus illustre des Marseillais ?

La Corniche

La promenade de la Corniche Ⓐ est née d'un projet d'Emile Ollivier, commissaire du gouvernement en 1848 : procurer du travail aux chômeurs. Seize mille bras s'employèrent à changer, disait le rapport officiel, *"en une belle promenade des rochers abrupts"*. Une deuxième tranche de travaux, à partir de 1860, permit de relier, par une avenue continue, le Vieux-Port au Prado. Différents aménagements, plus récents, ont permis de doubler la voie de circulation d'une agréable promenade pédestre. Elle fait les délices des pêcheurs à ligne, ceux, du moins, qui ne sont pas rebutés par la hauteur qui sépare la promenade du niveau de la mer...

Plusieurs plages, soigneusement protégées et entretenues, permettent, au cœur de la ville, de goûter aux joies des bains de mer : les Catalans, qui doivent leur nom à ce que des pêcheurs qui avaient cette nationalité s'y installèrent ; c'est là qu'Alexandre Dumas situe les premières pages de son *Comte de Monte-Cristo*, ou la plage du Prophète.

Deux monuments principaux bordent la Corniche : l'un, au-dessus du vallon des Auffes, à la gloire des armées d'Orient Ⓒ, l'autre, une gigantesque pale d'hélice, œuvre du sculpteur César Ⓑ (1971), est le mémorial des Rapatriés.

The project of Marseille's Corniche was launched by government Commissioner Emile Ollivier in 1848 in order to provide work for 16,000 unemployed workers. In the official report the project was described as "changing sheer rock into a an attractive promenade". Following a second phase of works staged from 1860, it became possible to go along the same avenue from the Vieux-Port to the Prado. The Corniche has since been widened in order to make room again for a promenade for pedestrians. The promenade is one the local anglers' favourite spots, on the condition that is, that they are not put off by the height of the cliff. The most popular stretch of beach close to the city centre is the Plage des Catalans – called after the Catalan fishermen who settled there at one time. In Alexandre Dumas' 'Count of Monte-Cristo', the first few pages of the story take place on the Plage des Catalans and the Plage du Prophète nearby.

As the Corniche follows the cliffs round to Malmousque it passes two monuments: a dramatic statue and arch that frames the setting sun of the Monument aux Morts des Orients and a huge propeller (César, 1971), a Repatriates' memorial.

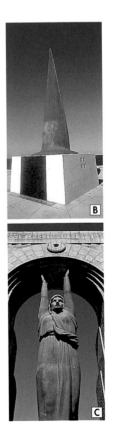

Les plages du Prado

Quand, dans les années 1970, on perçait des galeries pour faire passer le métro, on ne savait pas quoi faire des déblais. Quelqu'un eut l'heureuse idée de s'en servir pour créer une espèce de polder : la terre a ainsi avancé de plusieurs dizaines de mètres sur la mer, permettant l'aménagement de jardins publics, d'aires réservées à toutes sortes de sports (les rencontres de vélo acrobatique, de skate board ou de "beach volley" attirent toujours un large public) et de vastes plages, fort prisées des Marseillais. A l'arrière de ces aménagements de verdure, des alignements de terrasses de cafés constituent ce que, par référence aux deux avenues créées sous la Restauration, on appelle le "troisième Prado".

During the 1970s when Marseille's underground was being tunnelled, the authorities did not know what to do with the earth from the excavations. Luckily, before it was too late, someone had the great idea of using the ballast to create a sort of polder that would stretch out into the sea a little. The land reclaimed from the sea was used to create a public garden and recreation areas for stunt bikers, skateboarders, etc. Alongside the gardens, there are rows of cafés on what is now known as the "Troisième (third) Prado", in reference to the two other avenues created during the Restoration.

Le château Borély A D

Edifié par un riche négociant, Louis Borély, le château, qui porte le nom de son fondateur, est entouré d'un vaste parc C (17 hectares) fort prisé, les week-ends de la belle saison, des Marseillais. La bâtisse, cédée à la municipalité en 1857, est un splendide exemple de bastide provençale du XVIIIe siècle. Dans sa sobriété et son classicisme, elle est un modèle d'équilibre architectural, qui serait presque austère s'il n'était tempéré par l'ornementation allégorique des frontons. Le château a longtemps hébergé un musée d'Archéologie, aujourd'hui transféré à la Vieille Charité. Une fondation, Regards de Provence, y organise des expositions temporaires, ce qui permet d'y entrer pour admirer son riche décor, mais le bâtiment est en attente d'une restauration et d'une nouvelle affectation.

Le château Pastré B abrite, lui, les fort intéressantes collections du musée de la Faïence : mille cinq-cent pièces, de la Préhistoire à nos jours (des créations de Philippe Starck sont exposées), avec une grande proportion d'objets provenant d'ateliers marseillais (quinze manufactures fonctionnaient dans la ville au XVIIIe siècle), retracent l'évolution des techniques et des styles. Le bâtiment, en pierre blanche et brique rouge, au cœur du parc Montredon-Pastré, est un bel exemple de bastide du XIXe siècle.

The stern Château Borély was built in the 18th century for the wealthy merchant Louis Borély. It is surrounded by a huge park (17 hectares) with a boating lake, rose gardens, numerous palm trees and a botanical garden. In 1857 both the château and the grounds were donated to the municipality. For many years the city's Musée d'Archéologie was housed in the château but it has now been transferred to the Vieille Charité. The main halls are currently used from time to time by the Fondation Regards de Provence for temporary exhibitions but the château is mostly disused and due to be restored.

Château Pastré is occupied by the Musée de la Faïence which houses a particularly interesting collection of over fifteen hundred items of pottery dating from prehistory up until now (some of Phillipe Starck's work is on exhibit). Many of the articles were produced in the workshops of Marseille (during the 18th century there were over fifteen workshops in the city). Set in the middle of Montrédon-Pastré park, the château is a splendid example of 19th century architecture.

Les Goudes

Le petit port des Goudes a une fortune singulière : on y est à quelques encablures du centre de la ville, de son agitation et de son bruit, et déjà on y est au bout du monde. N'existent là, dans un écrin de collines dénudées, que le ciel, la mer et le soleil. Des barques, des cabanons, des terrasses, quelques treilles, le silence : voilà les très simples ingrédients du paradis sur terre. Pour découvrir ce joyau, la route est simple : c'est, à partir des plages du Prado, celle du bord de mer. La Pointe-Rouge, la Madrage de Montredon, quelques virages en à-pic au-dessus de l'eau et on y est.

The small harbour of Les Goudes is only a short distance from the busy city centre and yet, when you get there, it feels like a different world. The hills behind are bare and what one sees is the sky, sea and sunshine. Fishing boats, small huts, terraces, a few pergolas here and there, silence: the simple ingredients that go into the making of paradise on earth. In order to discover this little treasure, it's easy: from the beaches of the Prado take the coast road and follow round, past la Pointe-Rouge, La Madrage de Montredon, round a few more corners high above the sea, right round to the Baie des Singes – a charming little Robinson Crusoe type bay.

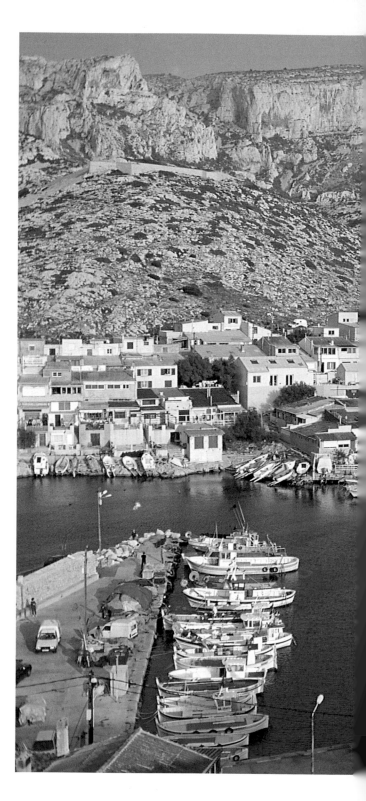

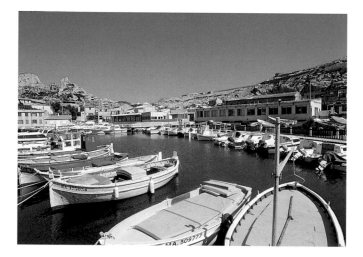

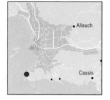

Là, au bord de la charmante baie des Singes A C - charmante autant par son nom que par son cadre -, on pourrait se croire Robinson seul au milieu des mers... Mais l'île, la vraie, est un peu plus loin, à quelques brasses, c'est l'impressionnante île Maïre B, suivie de son double, le petit îlot Tiboulen.

The real island and its tiny twin (Le Maïre and Tiboulen) are actually a little further out in the bay.

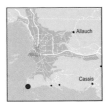

Callelongue

La calanque de Callelongue est un minuscule port de pêche, admirablement abrité des coups de mistral, au fond duquel, dans un décor naturel et sauvage, se blottissent quelques maisons de pêcheurs. C'est à la fois la fin de la route littorale qui quitte Marseille en direction du sud et la première des fameuses calanques qui échancrent la côte en direction de Cassis. L'endroit peut donc être aussi bien le but d'une balade (en voiture ou à vélo ; quel étonnement que de se savoir si près de la ville et d'en être déjà si loin !) ou le départ, au contraire, d'autres excursions, à pied, à travers l'aride massif calcaire, en direction des grandes calanques.

Callelongue is a tiny little fishing harbour, well protected from the strong Mistral wind at the end of the coastal road leading south out from Marseille. People often drive or cycle out to Callelongue and it is always a nice surprise to discover the contrast between the peaceful, charming Callelongue and the permanent hustle and bustle of Marseille just down the road. Callelongue is also a good starting point for walks across the limestone hills towards the big calanques.

La rade de Marseille

Avant d'être un but de balade, les îles de la rade de Marseille constituent un agréable ornement du paysage. De tous les quartiers qui dominent la Corniche, en particulier du vieux quartier d'Endoume, elles font partie, à la fois proches et lointaines, du décor familier. Selon les saisons, l'heure du jour, la couleur du ciel ou de la mer, leurs rochers blancs passent, de l'orangé au rose ou au mauve, par une grande variété de teintes. C'est leur charme et leur raison d'être. Et l'incessant mouvement des navires qui anime leurs parages les rendent, immobiles vigies, encore plus rassurantes.

The islands in the bay of Marseille add to the beauty of the different views of the bay. From the area of Endoume in particular, above the Corniche, the islands are very much part of the landscape. Depending on the season, the time of day it is and according to the colour of the sky and the sea, the white rocks of the islands are inclined to change from many shades of orange, pink and purple. The incessant movement of the boats that come and go in the bay help the islands, big and small, to stand out even more.

les îles

Au large de Marseille, à deux kilomètres du rivage, les îles d'If et du Frioul, Pomègues et Ratonneau, font partie de la ville, de son cadre et de son histoire. Si elles n'avaient existé, les Grecs de Phocée auraient-ils jeté leur dévolu sur la calanque du Lacydon et fondé là une ville ? Toutes les hypothèses sont permises...
Les îles font aujourd'hui partie, sur le plan touristique, des sites incontournables. Du quai des Belges, au fond du Vieux-Port, c'est une noria incessante de navettes Ⓐ qui proposent des visites de l'archipel ou du fameux château Ⓑ. Ces promenades peuvent être l'occasion, si le temps est de la partie, ce qui est fréquemment le cas, d'une journée inoubliable.

Two kilometres out to sea, the islands of If, Frioul, Pomègues and Ratonneau are all part of the city and each one has contributed in some way or other to the making of the history of Marseille. Indeed, had the islands not been there, would the Greeks, having sailed all the way from Phoceae, have decided to moor in the rocky inlet of Lacydon and go on to found a city ? One can always attempt a guess…
Nowadays, the islands are on the tourists' maps and each day, boats filled with visitors leave incessantly for the journey out to the archipelago and the famous Château d'If. When the weather is good, which, in Marseille is most often, the trip is for many a memorable occasion.

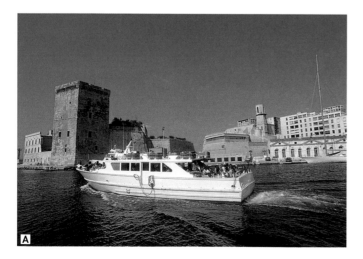

La plus célèbre des îles de l'archipel, If, est celle qui a le nom le plus court et les dimensions les plus modestes (environ 300 m de long sur un peu moins de 200 de large). Le château qui la garde et les fortifications qui la protègent furent édifiés à l'initiative de François Iᵉʳ qui s'y rendit, en 1516, au lendemain de Marignan, pour y voir un rhinocéros qu'on convoyait du Portugal à Rome. Cet appareil défensif n'eut jamais l'occasion de servir et le château fut transformé, dès le XVIIᵉ siècle, en prison. L'établissement accueillit des collections de pensionnaires, notamment beaucoup de prisonniers "politiques", mais ce sont, sans conteste, les héros d'Alexandre Dumas, l'abbé Faria et le comte de Monte-Cristo, qui en sont les plus célèbres. Leurs cellules, comme il se doit, se visitent...

Although it is the smallest (approx. 300 m x 200 m), If is the most famous island in the bay. Château d'If and fortifications were built originally for François I.
In 1516, following his victory at Marignano in Italy, François I came to the island to see a rhinoceros (!) that was being transported from Portugal to Rome. The château was never used as a fort and during the 17th century it was converted into a prison. It is best known as the penal setting for Alexandre Dumas' The Count of Monte Cristo, in which the innocent victim of treachery Edmond Dantès makes an escape after five years of incarceration.

MARSEILLE
CHATEAU D'IF · IF CASTLE

Pomègues et Ratonneau ont participé, elles aussi, comme If, à la défense de la ville, mais à sa défense sanitaire : c'est là qu'avait été installé un lazaret et là qu'on faisait attendre les navires en quarantaine. Au XIXᵉ siècle, les deux îles furent reliées par la digue de Berry tandis qu'était édifié l'hôpital Caroline A dont la chapelle B - le goût de l'époque était particulièrement adapté à Marseille - ressemble à un temple grec. Les deux cents hectares de l'archipel sont aujourd'hui dédiés au loisir : un port de plaisance y fonctionne, un village (qu'un de ses habitants a eu l'idée d'ériger en République indépendante ; des postes ministériels sont disponibles...) y a été créé et les rochers, grandioses ou désolés selon les saisons, organisés en collines, en criques et en calanques, y sont un terrain d'inépuisables balades et d'inoubliables baignades. Des îles, la vue sur la ville est exceptionnelle.

On the islands of Pomègues and Ratonneau there was an isolation ward and all the ships in quarantine had to wait there on their moorings for clearance from the sanitary authorities of the city. The two islands were linked together in the 19th century. The hospital chapel very appropriately looks like a Greek temple. The 200 hectares of the archipelago are now entirely used for leisure and recreational activities. There is a small harbour for sailing boats and a little village (one of the locals has decided to turn the island into a Republic (!) in its own right and there are apparently several vacancies for government posts). The islands make a wonderful day out – the water is beautifully clear and the views of Marseille from the island are absolutely beautiful.

les calanques

En direction de Cassis, sur une vingtaine de kilomètres, à partir du cap Croisette, la côte rocheuse est terriblement escarpée ; s'y succèdent promontoires, gorges et échancrures : ce sont ces espèces de petits fjords qu'on appelle calanco, en provençal, et calanques en français. Il y en a une douzaine dont les plus profondes et les plus célèbres sont Sormiou, Morgiou, Sugiton, En-Vau, Port-Pin, Port-Miou.

Le niveau de la mer, autrefois - il y a quinze ou vingt mille ans -, était beaucoup plus bas qu'aujourd'hui, de sorte que l'étonnante grotte Cosquer, en face de Sormiou, inventée en 1991, ornée d'admirables peintures rupestres (on a pu dire qu'elle était un *"Lascaux provençal"*), était, à l'époque de sa décoration, une grotte aérienne. Son accès, d'ailleurs muré, est interdit, mais on peut en voir une reconstitution dans les docks de la Joliette.

Morgiou.

Heading towards Cassis, the next town about 20 km along the coast from Cap Croisette, the coastline is incredibly rocky with cliffs towering high above the sea. In places the sea penetrates into deep, narrow, rocky inlets and gorges called calanco in Provencal, or calanques in French. Between Marseille and Cassis there are at least a dozen of these rocky inlets, the best known being Sormiou, Morgiou, Sugiton,; En-Vau, Port-Pin and Port-Miou.

Fifteen or twenty thousand years ago sea level was much lower than it is today, so much so that the spectacular Cosquer cave, opposite Sormiou was originally above water. Discovered in 1991, the walls are covered with wonderful cave paintings. Access to the cave is forbidden (and walled up) but visitors can see a reconstitution of the cave on the docks of La Joliette in town.

"*C'est un paysage qui a le style d'une tragédie antique. [...] Ce sont des fjords de marbre et de nacre, à l'eau profonde, bleue ou verte. [...] Dans ce décor olympien, les calanques apparaissent comme les berceaux des dieux et des héros. Les rochers prennent l'aspect de statues, de chapiteaux ou de colonnes, constituant un musée lapidaire de Titans. L'érosion leur a donné parfois des formes curieuses : certains s'avancent vers la mer, comme des cygnes très blancs, au col tendu ; d'autres sont des animaux fabuleux, des oiseaux qui prennent leur essor ; d'autres enfin sont des grotesques ou des figures de l'Apocalypse...*"

André Bouyala d'Arnaud, *Evocation du Vieux Marseille*, 1961.

"The landscape resembles an ancient tragedy. [...] Marble and pearly fjords, deep waters, blue or green. [...] In this Olympian decor, the calanques could be the cradles of the gods and heroes. The rocks look like statues, capitals and columns forming a lapidary museum of Titans. As a result of erosion, the shapes are sometimes strange – some appear to be moving forward in the direction of the sea, like white swans with their necks stretched out; others are fabulous animals and birds spreading their wings; others again look grotesque or like figures of the Apocalypse…"

André Bouyala d'Arnaud, *Evocation du Vieux Marseille*, 1961.

Calanque d'En-Vau.

Les cinq mille hectares du massif des calanques sont désormais un site classé. Cette disposition a été prise pour préserver ce qui, malgré la fréquentation touristique et les incendies, demeure un splendide ensemble naturel. Non seulement les paysages sont splendides, mais la faune et la flore y sont remarquables : on y a dénombré plus d'un millier d'espèces végétales, éventuellement rares, inconnues ailleurs ou menacées et on peut y voir, aux portes de la grande ville, des aigles de Bonelli, des faucons pèlerins, des grands-ducs et toutes sortes d'oiseaux et d'animaux rupestres... Pour ces raisons, les calanques sont, pour les Marseillais ou les visiteurs de la cité, un terrain de balades fort prisé : à pied (un sentier de grande randonnée va de Marseille à Cassis) ou en bateau, une journée dans les calanques est une provision de bonne santé...

The calanques and 5,000 hectares of the surrounding massif are now a conservation area. Although the area suffers numerous forest fires during the summer months, the area is still a very splendid site. Not only are the landscapes and views quite spectacular, but the fauna and flora is also known to be very remarkable. Over a thousand plant species, some of them very rare, have been reported growing in the massif and bird watchers come here to observe Bonelli eagles, peregrine falcons, buzzards, etc. There is a long-distance footpath that runs round the coast from Marseille to Cassis.

Port-Pin, Morgiou, En-Vau.

architecture contemporaine

Marseille, ville commerçante, n'est jamais restée, sur aucun plan, à l'écart des modes ou des tendances du moment. En architecture, par exemple, chaque époque a laissé une trace dans la cité, même si les générations ultérieures, comme ailleurs, n'ont pas toujours su les conserver. L'architecture moderne est illustrée par un monument fameux : l'"unité d'habitation" conçue, dans les années 1950, par Le Corbusier. Cette "Cité radieuse" , que les Marseillais, longtemps, ont appelée la "maison du fada", est un grand vaisseau de béton (165 m de long, 56 de haut), imaginé pour rendre la vie plus heureuse : ses trois cent soixante appartements sont complétés par toute une série d'équipements collectifs (boutiques, écoles, théâtre, restaurants, gymnase, solarium...).

D'autres réalisations, plus contemporaines - et moins prestigieuses -, comme la salle de spectacle du Dôme , à côté du siège du Département Ⓐ, illustrent la vitalité de la grande cité.

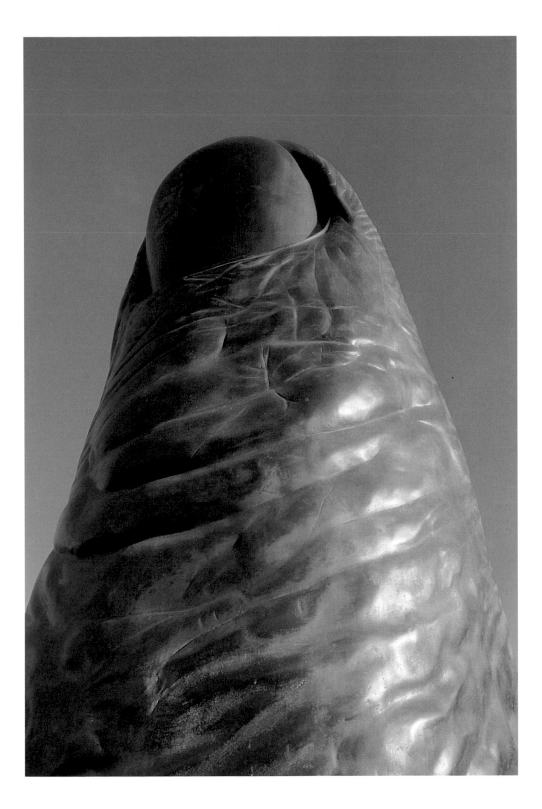

As one would expect from a big trading centre, Marseille has always followed the fashions and trends of the times. Looking at the city from an architectural angle, one discovers that it has had an impact, despite the fact that some of the constructions have not been preserved by subsequent generations. Completed in 1952, Le Corbusier's Cité Radieuse is a wonderful illustration of this (length 165 m – height 56 m) with its three hundred and sixty duplex (i.e., split-level) apartments. Common services within the building included two "streets" inside the building, with shops, a school, a hotel, and, on the roof, a nursery, a kindergarten, a gymnasium, and an open-air theatre.

Other less prestigious and more recent buildings clearly testify to the vitality of the city to this day.

L'obélisque du rond-point de Mazargues.
Le pouce de César - quartier Bonneveine.

arts et traditions populaires

La plus ancienne foire de Marseille connue était la foire de Saint-Louis, concédée par lettres patentes du roi Robert, comte de Provence, le 16 janvier 1318. Plus loin dans le temps, c'est avec des intentions commerciales que la ville fut fondée par des navigateurs qui étaient également des négociants : c'est dire si les marchés, dans la cité phocéenne, s'inscrivent aujourd'hui dans une tradition ancienne. Qu'ils soient aux fleurs, aux fruits, aux poissons, à la brocante, aucun ne manque de couleurs et tous remplissent leur millénaire fonction : intégrer dans un même projet des personnes venues d'horizons les plus divers.

Le savon de Marseille est également protégé par une charte de qualité : il doit contenir, pour qu'on puisse dire qu'il est "extra-pur", au minimum 72 % d'huile. La proportion, depuis que les savonneries existent à Marseille, c'est-à-dire, sous une forme industrielle, depuis Colbert, n'a pas varié : elle garantit un produit irréprochable.

Saint Louis trade fair was formally approved by king Robert, earl of Provence as early as 16th January 1318 and long before that, the founders of the city were themselves traders. With a history like that it is of no surprise that there should be a myriad of markets of all types around the town. There's a flower market, a fish market, a junk market, a flea market and all share the one and only objective : including in a same project people who come from extremely different places.

Among the other local products, Marseille soap is also protected by a charter. Indeed, in order to qualify for the label "extra pur", the sturdy bar of soap must have an oil content of at least 72%. These proportions, which haven't changed since the days of Colbert, are said to guarantee that the quality of the product is totally irreproachable.

spécialités marseillaises

Parmi les spécialités marseillaises, les produits de la gastronomie sont les plus savoureux : entre la bouillabaisse **A** (*le plat*, prétendait Georges Simenon, *qui a fait écrire le plus de bêtises*) et l'aïoli **B**, entre les fruits de la mer - les crustacés de la Méditerranée sont incomparablement savoureux - et ceux de la terre, comment choisir ? En ne choisissant pas, précisément, ou en s'en tenant, du moins, à des produits de qualité : la bouillabaisse est désormais protégée par une charte et l'ail - pourvu qu'il soit acheté, autour de la Saint-Jean, au marché des allées de Meilhan -, Dieu merci, n'a rien perdu de ses excellentes vertus.

Food is probably the best known speciality of Marseille. Fish and seafood are the main ingredients and the superstar of the of dishes is the city's own invention, bouillabaisse, a saffron and garlic flavoured fish soup with bits of fish, croutons and a rouille sauce to throw in at the table. The extremely popular dish has been copied so much, it would seem, that a few local restaurateurs have come up with a charter of the "good bouillabaisse"! Garlic should be bought preferably around the period of St Jean on the market in the Allées de Meilhan. Thank God, it hasn't lost any of its virtues…

A

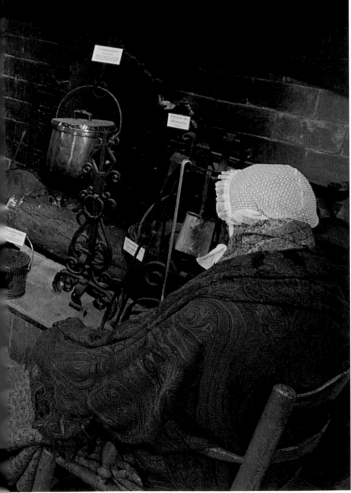

Marseille-en-Provence

Marseille serait le berceau des santons : c'est là qu'auraient été inventées, au XVIIIᵉ siècle, ces figurines d'argile - qui doivent leur nom à ce qu'elles représentent des "petits saints" -, peintes à la main et parfois habillées de vêtements provençaux. Les santons, en plus des personnages évangéliques (la sainte famille, l'âne, le bœuf et les rois mages), représentent tous les personnages traditionnels d'un village provençal. Une grande foire aux santons se tient chaque année aux allées de Meilhan (en-haut de la Canebiè-re), dans les semaines qui précèdent Noël.

Le musée de Château-Gombert, fondé en 1928 par Jean-Baptiste-Julien Pignol, est un fort intéressant conservatoire des arts et traditions provençales. On peut y découvrir, dans une belle demeure, avec d'agréables reconstitutions, tout ce qui participait à la vie quotidienne de ce qui, alors, était un village et est devenu un quartier de la grande ville : meubles, tissus, costumes, art religieux, faïences... Un lieu que ceux qui trouvent le passé savoureux ne doivent pas manquer...

Marseille is said to be the birthplace of santons (miniature clay or carved wood figures). When they were first made in the 18th century, the figures were largely "little saints" painted by hand and sometimes clad in Provencal style clothes. Santons now include all the traditional figures of a village in Provence. Each year there is a big santon market in the Allées de Meilhan (up at the top of the Canebière) a few weeks before Christmas.

Founded in 1928 by Jean-Baptiste-Julien Pignol, the Musée de Château-Gombert houses a particularly interesting exhibit of Provencal arts and traditions.

Droit au but !

Boule et ballon rond sont à Marseille des institutions : l'Olympique de Marseille, le club de football de la ville, est plus que centenaire et la plus ancienne association bouliste, le Cercle des boulomanes, a été fondée en 1828. Les rencontres entre les meilleures équipes de pétanque ou de football sont, au-delà du sport, des enjeux économiques, voire politiques, au-delà de la fierté que spectateurs et aficionados placent dans leurs champions, ces rencontres sont de l'ordre du rite. On s'y prépare, on en rêve, on participe, on s'enflamme ou on pleure, on en parle et, pour finir, on laisse déborder sa joie ou sa tristesse et on exprime, selon que les joueurs ont été plus ou moins valeureux, selon que l'on connaît l'enfer - rien de moins - ou le paradis - il est garanti en cas de succès national ou européen...-, félicitations ou injures. L'essentiel, quoi qu'il arrive, est de penser à la rencontre suivante.

The games of boules or 'pétanque' and football are institutions in Marseille. Indeed, the city's football club, Olympique de Marseille, is over a hundred years old and the boules club, Cercle des Boulomanes is proud to say that it was founded in 1828. The boules and football matches are far more than simple sports events. Here, in Marseille, the 'ballon rond' (round ball – football or boules) has an enormous effect on the economic and (sometimes) political life of the city. The afficionados are extremely proud of their teams. One talks about the matches before they're played, and on match nights it is a matter of joy or despair, paradise or hell. Of course, once the emotions have settled a little, the most important thing is to start thinking about the next match…

La différence entre la boule et la ballon tient, en la matière, à l'ampleur des enthousiasmes : la pétanque émeut un quartier tandis que le Stade-vélodrome (60 000 spectateurs, sans compter la télévision) met en émoi, en liesse ou en deuil la ville entière.

The main difference between the games of boules and football lies in the numbers each game attracts : whereas the game of 'pétanque' may attract the men from a particular quarter of the city, the Stade Vélodrome regularly draws 60,000 spectators and many of those that are not actually in the stadium are glued to the television.

renseignements pratiques

Contacts utiles

Office du tourisme
4 la Canebière 13001 Marseille
Tél 04 91 13 89 00
Fax 04 91 13 89 20
Internet: http://www.marseille-tourisme.com

Comité départemental du Tourisme
13 rue Roux-de-Brignoles - 13006 Marseille
Tél. 04 91 13 84 13
Minitel : Provence 13
Internet : http://www.visitprovence.com

Comité régional du tourisme Provence-Alpes-Côte-d'Azur
Espace Colbert
14 rue Sainte-Barbe - 13231 Marseille Cedex 01
Tél. 04 91 39 38 00

Sites, monuments et musées

• Monuments : *Notre-Dame-de-la-Garde* (basilique du XIXe siècle, vue remarquable, collection d'ex-votos) ; *Abbaye de Saint-Victor* (crypte du Ve siècle, forteresse du XIe siècle) ; *Château d'If* (forteresse du XVIe siècle) ; *Cathédrale de la Major,* de style néo-romano-byzantin (XIXe siècle) ; *l'ancienne cathédrale Major* (du XIIe siècle) ; *les forts Saint-Jean* (XIIe et XVIIe siècles) et *Saint-Nicolas* (XVIIe siècle) ; *clocher des Accoules* (XIIe

siècle) ; *église Saint-Laurent,* sur la butte du même nom (XIIe siècle) ; *palais du Pharo* (XIXe siècle) ; *Hôtel de Ville* (XVIIe siècle) ; *Hôtel de Cabre* (XVIe siècle) ; *Château Borély* (XVIIIe siècle)...
• Musée des Beaux-Arts (Palais Longchamp) / Peinture et sculpture du XVIe au début du XXe siècle
Tél. 04 91 14 59 30
• Musée d'Histoire naturelle (Palais Longchamp) / Histoire naturelle, géologie, minéralogie, zoologie...
Tél. 04 91 14 59 50
• Musée Cantini / Art du XXe siècle
Tél. 04 91 54 77 75
• Musée d'Archéologie méditerranéenne (installé dans l'Hospice de la Vieille Charité où se trouve l'admirable chapelle du XVIIe siècle, construite par Pierre Puget) / Collections égyptiennes, vestiges saliens de Roquepertuse.
Tél. 04 91 14 58 80
• Musée des Docks romains / Archéologie des docks, objets antiques...
Tél. 04 91 91 24 62
• Musée de la Mode / Tout sur la mode de tous les temps et du nôtre en particulier...
Tél. 04 91 56 59 57
• Musée Grobet-Labadie / Nombreuses collections de tout premier ordre rassemblées par un amateur éclairé
Tél. 04 91 62 21 82
• Musée de la Faïence / Dans le splendide cadre du château Pastré, 1500 pièces couvrant 7000 ans d'histoire
Tél. 04 91 72 43 47
• Musée des Arts et Traditions populaires de Château-Gombert
La vie du terroir marseillais du XVIIe au XIXe siècles
Tél. 04 91 68 14 38

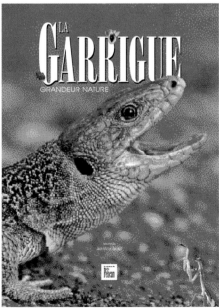

sommaire